pega leve!

DAVI LAGO

SEUS
PROBLEMAS
NÃO SÃO
MAIORES
QUE **DEUS**

MUNDO CRISTÃO

Os textos bíblicos foram extraídos da *Nova Versão Transformadora* (NVT), da Tyndale House Foundation, salvo as seguintes indicações: *Almeida Revista e Atualizada*, 2ª edição (ARA), da Sociedade Bíblica do Brasil; e *Nova Versão Internacional* (NVI), da Biblica, Inc.

CIP-Brasil. Catalogação na publicação
Sindicato Nacional dos Editores de Livros, RJ

L174p

Lago, Davi
Pega leve! : seus problemas não são maiores que Deus / Davi Lago. - 1. ed. - São Paulo : Mundo Cristão, 2024.
160 p.

ISBN 978-65-5988-309-7

1. Vida cristã. 2. Saúde mental - Aspectos religiosos - Cristianismo. 3. Emoções - Aspectos religiosos - Cristianismo. 4. Paz de espírito. 5. Fé. I. Título.

24-88728 CDD: 248.4
CDU: 27-584

Meri Gleice Rodrigues de Souza - Bibliotecária - CRB-7/6439

Categoria: Espiritualidade
1ª edição: maio de 2024

Edição
Daniel Faria
Revisão
Ana Luiza Ferreira
Produção e diagramação
Felipe Marques
Colaboração
Gabrielli Casseta
Raquel Carvalho Pudo
Capa
Jonatas Belan

Publicado no Brasil com todos os direitos reservados por:

Editora Mundo Cristão
Rua Antônio Carlos Tacconi, 69
São Paulo, SP, Brasil
CEP 04810-020
Telefone: (11) 2127-4147
www.mundocristao.com.br

Para Natalia,
minha mulher,
com todo amor

sumário

apresentação

Quando encontrei Davi Lago para propor *Pega leve!*, desafiei-o a compartilhar o que a milenar sabedoria bíblica tem a nos ensinar sobre o equilíbrio emocional. Na ocasião, comentei sobre as implicações severas, tanto físicas como emocionais, que a pandemia do coronavírus nos legou. Não que o sentimento de esgotamento emocional seja algo exclusivo do período pós-pandêmico. Longe disso. O cansaço tornou-se um protagonista silencioso, mas impossível de ser ignorado. A dinâmica da sociedade atual alimenta e retroalimenta um permanente senso de inadequação. Somos cercados por estímulos visuais e sonoros todo o tempo, e não estar hiperconectado assemelha-se ao sentimento de quem experimenta, mesmo que por um breve período, a abstinência da droga que o torna dependente.

Compartilhei com Davi que jovens e adultos exaustos emocionalmente lotam consultórios na tentativa de reencontrar o tão desejado equilíbrio. E graças a Deus pelos profissionais que se dedicam a ajudar seus pacientes a lidarem com as questões da saúde emocional. Identificamos, porém, que o valor de uma obra escrita por Davi sobre a temática da exaustão emocional estaria numa abordagem pastoral, de alguém acostumado a lidar com jovens e adultos Brasil afora. Imediatamente vieram à mente com toda a força as palavras inesquecíveis de Jesus: "Venham a mim todos vocês que estão cansados e sobrecarregados, e eu lhes darei descanso". E lembremos que o Mestre enfatizou que seu fardo era "leve" (Mt 11.28-30).

Desnecessário afirmar que Davi aceitou o desafio na hora! Com sua habitual maestria, dividiu a obra em dez capítulos recheados de reflexões contextualizadas para os dias de hoje. Trata-se de uma leitura leve, mas não menos profunda, e que pode ser sorvida aos poucos. Aqui encontramos a mais pura mensagem de Jesus: precisamos aprender com o Mestre, que é manso e humilde de coração, uma nova postura diante dos enfrentamentos do cotidiano. É provável que você identifique, com a ajuda do Davi, mudanças que lhe cabem, e será importante tomar a decisão de mudar, mas lembre que o "fardo" de Jesus é "leve". Seja qual for a questão com a qual precise lidar, viva ciente de que nenhum problema é maior do que seu Deus.

Davi é um dos maiores talentos de sua geração. Ao longo de quase duas décadas de experiência pastoral, viveu desafios emocionais de grande impacto e agora compartilha com você seu aprendizado. Nosso desejo é que ao final da leitura de *Pega leve!* você encontre descanso para revigorar suas forças e neutralizar a fadiga física ou emocional.

RENATO FLEISCHNER
Editora Mundo Cristão

introdução

Volte, minha alma, a descansar,
pois o SENHOR lhe tem sido bom.

SALMOS 116.7

A Bíblia apresenta inúmeras orações de pessoas que, embora estivessem exaustas física e emocionalmente, encontraram forças e sabedoria em Deus para seguir em frente. Quando estudamos essas orações e as diversas passagens bíblicas que abordam temas relacionados à sensação de cansaço mental persistente, aprendemos pelo menos quatro lições elementares.

Primeiro, *todas as pessoas estão sujeitas a aflições emocionais, mentais e espirituais, incluindo as cristãs*. Ninguém está imune à exaustão física e emocional. Os idosos, os adultos e "até os jovens perdem as forças e se cansam, e os rapazes tropeçam de tão exaustos" (Is 40.30). Do mesmo modo, assim como a chuva cai sobre justos e injustos, a fadiga extrema também atinge servos e servas de Deus. A Bíblia registra orações de pessoas exaustas emocionalmente, como Jó (Jó 3.26), Moisés (Nm 11.15), Noemi (Rt 1.20), Davi (Sl 42.5), Elias (1Rs 19.4), Jonas (Jn 4.3) e Jeremias (Jr 20.18). O Senhor Jesus disse a seus discípulos que sua alma estava profundamente triste, a ponto de morrer (Mt 26.38), tendo orado a Deus: "Meu Pai! Se for possível, afasta de mim este cálice. Contudo, que seja feita a tua vontade, e não a minha" (Mt 26.39). O cristão definitivamente não é imune aos percalços emocionais, e o próprio Cristo já alertou que as aflições fazem parte da caminhada (Jo 16.33).

Segundo, *é um equívoco grave reduzir quaisquer aflições emocionais e mentais à ação demoníaca, à falta de fé ou ao pecado de alguém.* A Bíblia realmente afirma que Satanás perturba e aflige pessoas (Mc 1.23-26), que a falta de fé não agrada a Deus (Hb 11.6) e que o pecado causa todo tipo de tormento, incluindo a exaustão mental (Sl 31.10). Contudo, as causas dos percalços emocionais e mentais que enfrentamos não se resumem a essas razões. A Bíblia revela que há diversos outros fatores capazes de cansar a alma humana, como, por exemplo, falta de sabedoria, decisões erradas, catástrofes, perseguições, doenças físicas, perda de entes amados, conflitos interpessoais, sobrecarga de trabalho, isolamento social, entre tantos outros.

Terceiro, *os desafios relacionados à saúde mental devem ser tratados com seriedade e responsabilidade espiritual e médica.* Questões ligadas à saúde mental são complexas e, portanto, devemos ser prudentes e responsáveis do ponto de vista espiritual e médico. Isso significa que a oração por cura e o estudo da Bíblia não anulam a importância da ajuda de médicos e profissionais da saúde. Jesus reconheceu que as pessoas doentes precisam de médicos (Mt 9.12). O próprio evangelista Lucas era médico (Cl 4.14). Paulo aconselhou Timóteo sobre a importância do tratamento médico (1Tm 5.23). A Bíblia está repleta de exemplos positivos de tratamentos medicinais ancestrais (Is 1.6; Ez 47.12; Jr 8.22). Do mesmo modo, o tratamento responsável da exaustão emocional e demais questões de saúde mental devem incluir o acompanhamento médico, se assim for necessário.

Quarto, *em Cristo há sabedoria, força e esperança para alcançarmos integridade emocional e espiritual.* A Bíblia é muito clara em afirmar que o maior de todos os problemas humanos é o pecado, a desobediência humana à vontade do Deus Criador. Por causa do pecado, os seres humanos estão destituídos da glória de Deus (Rm 3.23) e sujeitos à condenação eterna (Rm 2.6-12). Mas a Bíblia ensina que Jesus Cristo morreu na cruz no lugar dos pecadores, levando sobre si a justa ira de Deus. Por isso, em Cristo a esperança não é um desejo, é uma realidade. Ele mesmo é quem convida: "Venham a mim todos vocês que estão cansados e sobrecarregados, e eu lhes darei descanso" (Mt 11.28). Jesus não apenas nos liberta do pecado, mas também nos ensina o caminho para uma vida mais sábia e íntegra em todas as suas dimensões, incluindo as emoções, os pensamentos, os relacionamentos. As Escrituras ensinam literalmente que todos os tesouros da sabedoria e do conhecimento estão escondidos em Cristo (Cl 2.3).

Tendo em vista essas lições essenciais, a proposta deste livro é apresentar um conjunto de orientações pastorais práticas para toda pessoa que deseja desenvolver integridade emocional, mental e espiritual. Estudos prospectivos descobriram que elementos da fé e da prática cristã beneficiam aqueles com transtornos psicóticos e depressão, aumentam a felicidade e a resiliência, e diminuem o risco de abuso de substâncias ou suicídio. De acordo com as autoridades acadêmicas nos estudos sobre medicina, cultura e espiritualidade, as evidências sugerem que a fé cristã geralmente é uma influência positiva na saúde mental.[1] Assim, esta obra pode auxiliar aqueles que estão enfrentando desafios como tristeza constante, pensamentos confusos e exaustão emocional, aqueles que querem se prevenir contra esses males e aqueles que desejam ajudar outras pessoas a alcançar a restauração a partir da sabedoria cristã.

1
desabafe, lamente e chore

Com pedaços de mim eu monto um ser atônito.

MANOEL DE BARROS[1]

Há momentos em que sentimos que as frustrações habituais da vida começam a se acumular. Especialmente quando cometemos um grande erro ou atravessamos eventos difíceis, como a perda de um ente amado, a ruptura de um relacionamento amoroso, uma decepção, uma convulsão social, uma enfermidade grave ou um enorme prejuízo financeiro. Neste capítulo examinaremos três atitudes recomendadas nas Escrituras para os momentos em que a vida interior parece completamente macerada. São elas: desabafar, lamentar e chorar.

Desabafar é colocar para fora da alma as dúvidas, inquietações e angústias que nos atormentam. No desabafo reconhecemos o que está nos perturbando e contamos a alguém de confiança o que tanto nos aflige. Desabafar é expelir o veneno que está destruindo nosso bem-estar emocional. Estudos científicos afirmam que a prática do desabafo é fundamental para a regulação emocional, reduzindo o estresse e fortalecendo o sistema imunológico.[2] Através do desabafo a pessoa aflita consegue acalmar a mente, conhecer melhor as próprias emoções, sentir-se compreendida e acolhida. Sem o desabafo podemos tanto explodir como implodir emocionalmente. Explodimos quando nos tornamos pessoas irritadiças, agressivas, sem paciência, e maltratamos pessoas que não têm nada a ver com nossos problemas. Implodimos quando nossa vida interior entra em uma espiral de pensamentos tristes e amargos, que pode desencadear até mesmo doenças como úlcera, insônia, síndrome do intestino irritado, síndrome do pânico e depressão. A Bíblia ensina explicitamente: "Fiquem atentos para que não brote nenhuma raiz venenosa de amargura que cause perturbação, contaminando muitos" (Hb 12.15). A amargura é comparada com uma planta tóxica que começa a desenvolver raízes em nossa vida.

Como iniciar o desabafo? O primeiro passo é reconhecer a pressão interior contínua. Os problemas não desaparecem se simplesmente os ignorarmos. Não adianta mentir para nós mesmos e fingir que está tudo bem. Em todo desabafo reconhecemos humildemente, antes de tudo, que nosso estado interior não está bem. Na sequência precisamos baixar as defesas e abrir o coração. Há pessoas que preferem escrever seus desabafos, enquanto outros preferem abrir a boca e conversar. A grande pergunta neste momento é: com quem desabafar?

É verdade que há certo alívio em dizer coisas ainda que para nós mesmos. Há pessoas que contam os problemas para animais de estimação ou até mesmo para um objeto (!). No filme *Náufrago*, de 2000, o protagonista Chuck Noland, interpretado por Tom Hanks, está há tanto tempo sozinho e abandonado em uma ilha que começa a "desabafar" e "conversar" com uma bola de vôlei, que ele apelida de Wilson. A "performance" da bola Wilson no filme foi tão destacada que ela recebeu o prêmio Critics' Choice Awards 2001 na curiosa categoria "melhor objeto inanimado em um filme". Com o desenvolvimento tecnológico, surgiram até mesmo "robôs psicoterapeutas", isto é, salas de conversa on-line onde pessoas aflitas "conversam" com atendentes automatizados e programas de inteligência artificial.[3]

Contudo, conforme as Escrituras indicam, desabafar com outra pessoa de carne e osso, em quem confiamos, é de grande importância. Por exemplo, o texto de Gênesis relata que, antes da criação da mulher, Adão se sentia só porque não havia alguém que lhe correspondesse como ser humano. O próprio Deus afirmou: "Não é bom que o homem esteja sozinho" (Gn 2.18). Outro exemplo está no final da Terceira Carta de João, em que o autor, tendo abordado várias instruções importantes para o destinatário, afirma que havia outros assuntos que deveriam ser tratados "face a face" e não com "pena e tinta" (3Jo 1.13). Isto é, há limites para as interações com entes não humanos (como animais e robôs), assim como há limites para as interações humanas mediadas por alguma tecnologia de comunicação. Encontrar outro ser humano com quem desabafar é muito valioso para a saúde mental.

Um grande desafio neste ponto é o receio que muitos têm em expor suas fragilidades. Esse receio é compreensível. Afinal, a maior parte das pessoas é treinada desde a infância a esconder suas fraquezas e não expor suas debilidades sob pena de serem estigmatizadas, ridicularizadas, malvistas, malquistas. Além disso, na transição para a vida adulta somos educados a respeitar também o sentimento e o espaço dos outros. Conforme amadurecemos compreendemos que não devemos falar tudo o que pensamos o tempo todo e aprendemos a controlar nossas reações, expressões, intervenções. Até aqui tudo bem. O problema ocorre quando uma pessoa está completamente sobrecarregada em sua vida interior e passa a levar sozinha esses pesos emocionais desproporcionais. Nessa circunstância, precisamos reconhecer nossa angústia e procurar pessoas confiáveis para desabafar. Guardar mágoas pode torná-las maiores do que realmente são. Alegria compartilhada é alegria duplicada, tristeza compartilhada é tristeza dividida ao meio.

Escolher bem com quem desabafar é uma questão-chave. Afinal, não é sábio sair falando sobre nossas angústias com qualquer pessoa e em qualquer momento. Há problemas que só pioram se falarmos com as pessoas erradas. Assim, é muito

ALEGRIA

COMPARTILHADA É

ALEGRIA DUPLICADA,

TRISTEZA

COMPARTILHADA É

TRISTEZA DIVIDIDA

AO MEIO.

comum que nossos parceiros no desabafo sejam nossos familiares e entes amados: o marido que abre o coração com a esposa ou a filha que abre o coração com a mãe. É nesse momento também que compreendemos o grande valor de nossos amigos. O amigo permanece quando todos desaparecem. Não confunda quem é "amigável" com quem é amigo de verdade. Cuidado com os falsos amigos: "Muitos se dizem amigos leais, mas quem pode encontrar alguém realmente confiável?" (Pv 20.6). Cuidado para não expor desnecessariamente suas angústias íntimas com pessoas que só querem se aproveitar de você. Amigos verdadeiros são aqueles que provaram que se importam com você no curso do tempo, que escutam suas queixas sem fazer julgamentos rápidos e precipitados. Quando desabafamos com amigos verdadeiros temos a oportunidade de aprofundar relacionamentos, pois "o amigo é sempre leal, e um irmão nasce na hora da dificuldade" (Pv 17.17).

Além dos amigos e entes próximos, podemos desabafar com conselheiros e conselheiras qualificadas, como anciãos na igreja, pessoas experimentadas na fé e profissionais de saúde mental. Conforme o ensino bíblico, a igreja não é um mero cenário, mas uma comunidade pulsante, um fórum vivo para as questões mais profundas da vida. Assim, os cristãos são exortados a se aconselharem mutuamente (Cl 3.16) e carregarem os pesos uns dos outros (Gl 6.2).

Há situações, contudo, nas quais nos sentimos extremamente sozinhos. Não nos satisfazemos em conversar com outras pessoas, nem em desabafar para animais, robôs ou objetos inanimados. De fato, em toda a Bíblia, encontramos o convite para levar a Deus nossas aflições. A sabedoria dos salmistas afirma que "Deus é nosso refúgio e nossa força, sempre pronto a nos socorrer em tempos de aflição" (Sl 46.1).

No início de 2021, minha mãe, Esmeralda, estava praticamente morta na Unidade de Terapia Intensiva do Hospital Felício Rocho em Belo Horizonte. Contaminada com covid-19, ela respirava por aparelhos havia várias semanas e não esboçava sinais de reação. Eu estava completamente exausto, hospedado em um pequeno hotel em frente ao hospital, sem conseguir dormir direito. Minha mãe tinha então 59 anos de idade, e eu estava muito abalado com a possibilidade de perdê-la. Em uma das noites, li na Bíblia a oração que Josafá fez a Deus em seu momento de aflição: "Não sabemos o que fazer, mas esperamos o socorro que vem de ti" (2Cr 20.12). Eu fiz da oração de Josafá a minha própria oração. Derramei meu coração diante de Deus, expus minha aflição, desabafei toda minha angústia. Saí mais forte daquele momento: foi um momento de renovação na minha vida espiritual. Pela misericórdia de Deus a saúde da minha mãe foi restabelecida e, depois de 94 dias internada, ela voltou para casa.

Nem sempre, porém, existem reviravoltas positivas nas situações difíceis que enfrentamos. Neste ponto, vale destacar a importância de *lamentar*. O lamento é um ato de honestidade brutal da pessoa de fé diante de Deus, no qual ela expressa integralmente sua dor. Os estudiosos do lamento identificaram quatro elementos comuns nos lamentos registrados na Bíblia:

1) É endereçado a Deus.
2) Apresenta uma queixa.
3) Faz pedidos por justiça.
4) Reafirma o compromisso de fé e esperança em Deus.[4]

Diferentemente da murmuração, que é praguejar de modo cínico, as Escrituras ensinam que o lamento é a resposta da pessoa genuinamente fiel a Deus diante de grandes tristezas. Murmurar é apenas reclamar sem fé, lamentar é extravasar a angústia mantendo a fé em Deus. Assim, a murmuração é tratada biblicamente como pecado, enquanto o lamento é considerado uma bênção.

O livro bíblico de Lamentações é muito instrutivo a esse respeito, pois registra cantos de angústia do povo de Deus após a devastação de Jerusalém por volta do ano 586 a.C. Escrito com maestria estilística e profunda sensibilidade espiritual, Lamentações é um poema que nos leva a refletir sobre o lugar de cada coisa em nossas vidas. Para o povo de Israel, o lamento incorporava não apenas palavras, mas também atitudes: "Os líderes da bela Jerusalém sentam-se no chão em silêncio. Vestem-se de pano de saco e jogam pó sobre a cabeça. As moças de Jerusalém abaixam a cabeça, envergonhadas" (Lm 2.10). Outros exemplos do Antigo Testamento relacionados à postura do lamento incluem:

- Cobrir a cabeça (2Sm 15.30; Et 6.12).
- Bater no peito (Is 32.12-13; Jr 31.19).
- Usar uma vestimenta de luto (Gn 37.34; 2Sm 3.31; Et 4.1; Jó 1.20; Is 37.1; Jr 41.5).
- Assentar-se ou deitar-se no chão (2Sm 13.31; Jó 2.13; Jr 6.26; Lm 2.10).
- Jejuar (Jz 20.26; 1Sm 31.13; 2Sm 1.12; 12.21).
- Ingerir comida e bebida de luto (Jr 16.7; Ez 24.17,22; Os 9.4).
- Abster-se de relações sexuais (2Sm 11.27; 12.22-24).
- Renunciar ao uso de cosméticos e óleos (2Sm 12.20; 14.2; Is 61.3).
- Entoar lamentos e cantos fúnebres (2Sm 1.17-27; Am 5.16-17; Mq 1.8).

É enriquecedor, para nós hoje, conhecer esses modos ancestrais de lamento. Afinal, muitas pessoas nas sociedades modernas criaram inúmeras distrações e maneiras de esconder suas dores — dos outros e de si mesmas. Outras instrumentalizaram o lamento como forma de promover escândalos, chamar a atenção da mídia e ganhar dinheiro. Contudo, a ausência de lamento genuíno em nossa vida é fatal para a saúde mental. É sábio reaprender a lamentar. A tradição cristã tem muito a ensinar nesse quesito. Nós, cristãos, compreendemos que, em Cristo Jesus, o próprio Deus entrou no sofrimento humano. Na cruz, em especial, o Filho de Deus exprimiu sua dor com um salmo de lamento: "Meu Deus, meu Deus, por que me abandonaste?" (Mt 27.46; ver Sl 22.1). Nessa profunda identificação de Deus com as dores humanas encontramos consolo, refrigério e uma nova esperança.

Os eruditos afirmam que a Paixão de Cristo rompeu com o ideal da "morte nobre", amplamente difundido nas culturas antigas. Esse ideal encontra sua expressão mais remota na morte heroica, a morte gloriosa em uma batalha, e sua expressão mais filosófica na morte de Sócrates.[5] Conforme Platão registrou em sua obra *Fédon*, Sócrates foi condenado à morte e enfrentou seu destino com calma e tranquilidade: bebeu calmamente o cálice de cicuta que o mataria enquanto seus alunos sofriam e choravam de tristeza.[6] Jesus, por outro lado, sofreu e agonizou na cruz. O ideal cristão, portanto, não é a resignação emocional, o mero estoicismo ou a apatia. O ideal cristão de enfrentamento da dor envolve lamentar e chorar. Há coisas que só conseguimos ver com os olhos molhados.

O próprio Jesus derramou lágrimas. No Antigo Testamento os profetas choram, os sacerdotes choram, os reis choram, mas nos Evangelhos o Todo-Poderoso chora. Ao refletir sobre as lágrimas de Jesus, o teólogo patrístico Orígenes não teve receio em utilizar a expressão "lágrimas de Deus".[7] Isso nos leva ao ponto final deste capítulo: o valor de *chorar*. Conforme os registros do

Novo Testamento, é inquestionável que Jesus era feliz e bem-humorado. Mas é muito interessante que, embora esteja presumido, a Bíblia não menciona explicitamente nenhuma vez que Jesus sorriu. Por outro lado, pelo menos três vezes é mencionado explicitamente que Jesus chorou: o Evangelho de João registra que Jesus chorou na morte de seu amigo Lázaro (Jo 11.35); Lucas afirma que Jesus chorou pelo destino trágico de Jerusalém (Lc 19.41);[8] e Hebreus pontua que "enquanto Jesus esteve na terra, ofereceu orações e súplicas, em alta voz e com *lágrimas,* àquele que podia salvá-lo da morte, e suas orações foram ouvidas por causa de sua profunda devoção" (Hb 5.7, grifo nosso). No texto de João, o termo grego utilizado para choro indica choro silencioso, enquanto o termo utilizado em Lucas indica um choro audível,[9] assim como as lágrimas são associadas ao clamor em alta voz em Hebreus.

Esses registros revelam que Jesus entrou nas raízes da miséria humana, identificando-se com o sofrimento da humanidade e chorando de todas as maneiras. Assim, as lágrimas crísticas dão dignidade à nossa tristeza e liberdade às nossas emoções. Cristo chorou e nos capacita a chorar.

Portanto, não retenha suas lágrimas. Chore. O choro gera um efeito "autocalmante" que atenua o estresse e fornece uma sensação de bem-estar. Evidências científicas indicam que, quando choramos, nosso corpo libera endorfinas que aliviam a tensão, do mesmo modo como quando fazemos exercícios.[10] O choro ajuda a estabilizar o humor liberando toxinas acumuladas pelo estresse emocional.[11] Além disso, o choro comunica a necessidade de ajuda, pois atua como um alarme facilmente detectado. Diversos estudos identificaram que quem chora é percebido com maior atenção, considerado mais agradável e auxiliado com maior sentimento de conexão e companheirismo.[12] O choro e o lamento também nos liberam emocionalmente para sermos

HÁ COISAS QUE SÓ CONSEGUIMOS VER COM OS OLHOS MOLHADOS.

capazes de perdoar e orar por quem nos ofendeu. Chorar nos torna mais empáticos. Afinal, se não reconhecermos e chorarmos nossas próprias perdas e lutas, como nos identificaremos com os que estão sofrendo? Como seremos capazes de "chorar com os que choram?" (Rm 12.15).

Há força nas lágrimas. Com olhos molhados vemos coisas que, de outro modo, seríamos incapazes de ver. Assim, para limpar nossos olhos das mentiras do mundo, precisamos aprender a chorar de verdade. Deus nos fez com canais lacrimais e há tempo para tudo, incluindo "tempo de chorar" (Ec 3.4). As Escrituras ilustram muitas ocasiões apropriadas para chorar:

- Lágrimas de tristeza (1Sm 30.4; Ne 1.4).
- Lágrimas de luto (Gn 23.2; 2Sm 1.12; At 9.39).
- Lágrimas de despedida (1Sm 20.41; At 20.37).
- Lágrimas de reencontro (Gn 33.4; 43.30; 46.29).
- Lágrimas de arrependimento pelo pecado (Mt 26.75).
- Lágrimas de clamor a Deus por reposta a uma oração (1Sm 1.7-8; Is 38.5).
- Lágrimas de rendição do coração diante de Deus (Sl 6.6; 42.3).

Enquanto estivermos vivos, passaremos por momentos de angústia que nos farão lamentar e chorar, mas essas experiências são temporárias (Jo 16.33; Rm 8.18). Nossas lágrimas são preciosas para Deus. A Bíblia ensina que o Senhor não apenas vê e conhece nossas lágrimas, mas recolhe cada uma delas num jarro e as registra em um livro (Sl 56.8). No céu, Deus enxugará de nossos olhos toda lágrima remanescente (Ap 21.4). Enquanto esse dia não chega, a capacidade de chorar é uma bênção: "Bem-aventurados os que choram, porque serão consolados" (Mt 5.4, NVI).

Lágrimas quentes não saem de corações frios. Se nossos olhos estão secos, talvez seja porque nosso coração se tornou um deserto. Por outro lado, se estamos quebrantados, talvez seja indício de que Deus já está trabalhando em nós, para nos fazer mais semelhantes a Cristo. E, quanto mais semelhantes a Cristo, mais profunda será nossa humildade, mais amadurecido nosso caráter, mais completo nosso abandono em Deus.

2

cultive a virtude da humildade

Humildade é o altar no qual Deus nos quer para oferecer-lhe nossos sacrifícios.

FRANÇOIS DE LA ROCHEFOUCAULD[1]

Certa vez uma pessoa me disse: "Davi, nem Newton compreende a gravidade dos meus problemas". De fato, não vivemos no mundo que desejamos, mas no mundo que existe. As coisas nem sempre saem como havíamos planejado, e volta e meia não temos certeza de que caminho seguir. Então, sentimos certo cansaço diante dos desafios. Viver, de certo modo, é enfrentar problemas. Conforme dizia o poeta Paulo Leminski, os problemas têm família grande e aos domingos saem para passear: "o problema, sua senhora e outros pequenos probleminhas".[2] Há milênios o livro de Jó sintetizou muito bem essa condição humana: "Acaso a vida na terra não é uma luta?" (Jó 7.1). Portanto, a questão que muitas pessoas enfrentam é: Como não enlouquecer diante de tantos problemas? Como enfrentar os múltiplos desafios que a vida impõe? Por onde começar?

Talvez a orientação mais elementar que podemos extrair dos tesouros da sabedoria bíblica sobre o cuidado com nossa saúde mental, emocional e espiritual é *cultivar a virtude da humildade*. Provérbios afirma que "o orgulho leva à desgraça, mas com a humildade vem a sabedoria" (Pv 11.2). A máxima apresenta duas atitudes internas (orgulho ou humildade) que podem levar a diferentes resultados externos (desgraça ou sabedoria). A noção de "orgulho" nesse texto vem de uma palavra hebraica que sugere ferver a água até que ela suba e derrame do recipiente, e

VIA DE REGRA,
PESSOAS
ORGULHOSAS
DEMONSTRAM
ARROGÂNCIA
A PARTIR DE
SUAS PRÓPRIAS
INSEGURANÇAS
PSICOLÓGICAS.

se aplica à arrogância daqueles que exigem ter tudo conforme seus caprichos.[3]

Decerto, pessoas orgulhosas não pedem licença, atropelam; não pedem perdão quando estão erradas, justificam-se; não dão explicações quando convém, ameaçam; nunca agradecem, sempre cobram; não oram, amaldiçoam; não perdoam, procuram vingança; não elogiam quem merece, reclamam de tudo e todos. Via de regra, pessoas orgulhosas demonstram arrogância a partir de suas próprias inseguranças psicológicas. Diversas pesquisas empíricas de psicologia social identificam que indivíduos que demonstram egoísmo e narcisismo apresentam níveis mais elevados de agressividade ao ouvirem insultos que ameaçam seus egos.[4] No dia a dia, o arrogante só se preocupa com outras pessoas na medida em que servem à sua própria exaltação. Esse é o erro primordial da pessoa orgulhosa conforme as Escrituras: ela está fechada em si mesma buscando uma "independência" ilusória.

O orgulho, portanto, impede o acesso à sabedoria levando a pessoa a prejudicar a si própria (Pv 8.36) e criar conflitos desnecessários com o próximo (Pv 13.10). Em outras palavras, o orgulho abre as portas para uma vida infernal, e a ruína pode chegar literalmente de qualquer direção.

No extremo oposto, enquanto "a arrogância precede a destruição; a humildade precede a honra" (Pv 18.12). Ao contrário do orgulho, a humildade é o abandono da busca pela independência. A postura humilde indica um espírito aberto, compreensivo, atento e modesto. O Antigo Testamento descreve os humildes como aqueles que não se impressionam com a própria sabedoria (Pv 3.7), não contam vantagem a respeito do futuro (Pv 27.1), não procuram honras (Pv 25.27) e não fazem elogios a si próprios (Pv 27.2). Ou seja, a pessoa humilde não presume que é melhor que as outras ou que tenha todas as respostas. Não tenta chamar a atenção para si nem se esforça para parecer importante. Os humildes são descritos como pessoas sensatas que escutam os bons conselhos e não são teimosos nem resistentes às mudanças necessárias (Pv 15.31-33). A humildade também é associada explicitamente com a prática da justiça e da misericórdia (Mq 6.8).

É crucial ressaltar que, na compreensão hebraica, toda essa sabedoria da humildade tem uma origem teológica, isto é, está enraizada na crença de que somente Deus é perfeito. A humildade, para o povo de Israel, está diretamente ligada ao temor de Deus: "O temor do SENHOR ensina sabedoria; a humildade precede a honra" (Pv 15.33; ver 22.4). Desse modo, a humildade pode ser compreendida como a virtude de avaliar todas as coisas honestamente à luz da perfeição de Deus e das limitações humanas — em todas as suas dimensões.

A fé cristã acolheu a compreensão israelita de que Deus se opõe aos orgulhosos e concede graça aos humildes (Pv 3.34; Lc 1.52; Tg 4.6; 1Pe 5.5). Contudo, o pensamento cristão colocou a humildade no centro da vida moral de uma forma dramática e sem precedentes. Na perspectiva cristã, Deus, justamente por ser perfeito, não pode exaltar-se acima do que ele é em seu Ser Altíssimo. Contudo, ele pode se humilhar, como de fato o fez em Cristo Jesus, que

> embora sendo Deus,
> não considerou que ser igual a Deus
> fosse algo a que devesse se apegar.
> Em vez disso, esvaziou-se a si mesmo;
> assumiu a posição de escravo
> e nasceu como ser humano.
> Quando veio em forma humana,
> humilhou-se e foi obediente até a morte,
> e morte de cruz.
>
> Filipenses 2.6-8

O evangelho anuncia que Jesus, o Filho de Deus, veio ao mundo entregar sua vida em resgate da humanidade perdida por causa do orgulho e do pecado. Assim, os cristãos compreendem que Deus se revelou supremamente através de sua humildade. Depois de sua humilhação até a morte de cruz, Jesus foi exaltado como o conquistador do mundo, da morte, do inferno e do pecado. Esse hino sobre a humilhação e exaltação de Jesus em Filipenses 2 identifica a humildade tanto como sua característica definidora como aquela que seus seguidores deveriam imitar com muita atenção. Indubitavelmente, a ênfase cristã na humildade alterou completamente a compreensão do que é uma vida humana bem-sucedida.

No Evangelho de Mateus, Jesus iniciou seu discurso mais conhecido, o Sermão do Monte, com a desconcertante afirmação: "Bem-aventurados os humildes de espírito, porque deles é o reino dos céus" (Mt 5.3, ARA). Confrontando seu contexto cultural imediato, que entendia a humildade como um obstáculo ao florescimento humano, Jesus afirmou reiteradamente o exato contrário: a humildade é o caminho para o genuíno florescimento. O convite de Jesus foi direto: "Deixem que eu lhes ensine, pois sou manso e humilde de coração, e encontrarão descanso para a alma" (Mt 11.29). Em outras palavras, a paz não começa em nós mesmos, mas nele. De modo ainda mais surpreendente, a paz começa com o aprendizado de sua humildade e mansidão.

Jesus Cristo não convidou seus discípulos para aprenderem a ficar ricos, ou realizarem milagres impressionantes, ou se tornarem sacerdotes religiosos famosos, mas para aprenderem a humildade de coração. Há algo completamente novo nessas palavras. Agostinho de Hipona, por exemplo, afirmou que essa perspectiva da humildade "não se encontra em livro nenhum dos epicureus, dos estoicos, dos maniqueus, dos platônicos. Em todos eles se encontram ótimos preceitos sobre costumes e

A ÊNFASE CRISTÃ
NA HUMILDADE
ALTEROU
COMPLETAMENTE A
COMPREENSÃO DO
QUE É UMA VIDA
HUMANA
BEM-SUCEDIDA.

disciplina; contudo lá não se acha esta humildade. A corrente desta humildade vem de outra fonte: vem de Cristo".[5] Não por acaso, vários dos primeiros teólogos da igreja consideraram a humildade *a* virtude cristã por excelência,[6] isto é, todas as outras virtudes são construídas e sustentadas por este fundamento: a humildade amorosa demonstrada na autorrevelação de Deus em Jesus. Agostinho questionou: "[Cristo] ensinou outra coisa, a não ser esta humildade?".[7]

Jesus Cristo é a definição última de humildade. O Novo Testamento apresenta diversas características da pessoa humilde, transformada por Jesus:

- Gratidão (1Ts 5.18).
- Capacidade de compreender os outros e perdoar rápido (Cl 3.12-14; Ef 4.31-32).
- Coração ensinável (2Pe 3.18; 1Co 4.7; Tg 3.17).
- Atitude prestativa e solícita em ajudar outros (Ef 4.29).
- Disposição para servir (Gl 5.13-14; Mt 23.11-12).
- Valorização do interesse do outro (Fp 2.3-4).
- Respeito por todas as pessoas e honra aos mais velhos (1Pe 5.5).
- Amizade com pessoas carentes (Rm 12.16).
- Ausência de arrogância (Lc 14.11).
- Autocontrole para não revidar insultos (1Pe 2.21-23).
- Tolerância em amor (Ef 4.2).
- Confiança na graça de Deus (2Co 12.9-10).

Em uma sociedade na qual o sucesso é definido em termos de produtividade e autossuficiência, a humildade é erroneamente associada a passividade e baixa autoestima. No período moderno, filósofos como David Hume e Friedrich Nietzsche, por exemplo, esbravejaram contra a ênfase cristã na humildade.[8]

Contudo, apesar de seus detratores, a noção cristã da humildade atravessou os séculos e permanece relevante em múltiplos âmbitos, como a filosofia,[9] a psicologia e as ciências sociais.[10] Até mesmo o cínico escritor La Rochefoucauld reconheceu que a humildade é "a prova das virtudes cristãs: sem ela mantemos todos os nossos defeitos, e eles só ficam ocultos pelo orgulho que os esconde dos outros e muitas vezes de nós mesmos".[11]

O humilde é capaz de se ver com precisão, compreendendo seus talentos e suas falhas, ao mesmo tempo que é desprovido de arrogância e baixa autoestima. A humildade nos desarma da "síndrome de Messias", isto é, a ilusão de que devemos enfrentar os problemas da vida como se fôssemos capazes de salvar o mundo, como se tudo dependesse única e exclusivamente de nós mesmos. Por outro lado, a humildade também nos desarma do sentimento de "vítima do universo", isto é, a ilusão de que não é possível fazer nada para enfrentar nossos desafios. Pessoas vitimistas se tornam fatalistas, inertes e acomodadas. São pessoas que estão sempre prontas a culpar os outros por tudo que dá errado e vivem transferindo suas responsabilidades. Tanto a síndrome de Messias como o sentimento de vítima são faces da mesma moeda: o orgulho. Pessoas arrogantes podem tanto pensar que podem resolver tudo sozinhas como "decretar" que nada pode ser feito. A mesma arrogância permeia as duas posturas. A humildade, graças a Deus, nos livra disso.

3

crie ciclos de descanso

Na época mais agitada da história,
Cristo pode lhe dar descanso.

BILLY GRAHAM[1]

Não precisamos sofrer um colapso físico e emocional para entender nossos limites. Descansar do trabalho é uma necessidade vital, pois nossa energia é finita. O corpo humano precisa respirar, dormir, ser hidratado e alimentado.

Contudo, apesar da elementaridade do descanso para a vida humana, multidões de pessoas em todo o mundo sofrem de exaustão. Um estudo da Fundação Oswaldo Cruz constatou que 72% dos brasileiros têm alterações no sono, como a insônia.[2] Infelizmente, há um número crescente de trabalhadores diagnosticados com a chamada *síndrome de burnout* ou *síndrome do esgotamento profissional*. Essa síndrome é definida como um distúrbio emocional com sintomas de exaustão extrema, estresse e esgotamento físico resultante de situações de trabalho desgastante.[3] A Organização Mundial da Saúde não considera a síndrome de burnout uma doença propriamente dita, mas passou a catalogá-la em 2022 como um fenômeno ocupacional, sendo um dos fatores de atenção para a saúde no contexto profissional.[4] O esgotamento profissional é compreendido como um processo no tempo e um círculo vicioso com três etapas principais:

- Exaustão emocional: falência quase completa das funções cognitivas e da capacidade mental e física.
- Cinismo ou despersonalização: deterioração das relações interpessoais e da consciência de si.

- Baixo desempenho e baixo sentimento de realização: incapacidade de realizar o trabalho, frustração e perda de sentido das atividades.[5]

A principal causa identificada para o burnout é o excesso de trabalho. Especialistas de todo o mundo recomendam unanimemente que a melhor forma de prevenir o burnout é aprender a viver uma vida equilibrada e diminuir o estresse no trabalho. Nesse contexto, é impressionante o fato de que a Bíblia afirme desde sua primeira página a importância do equilíbrio entre trabalho e descanso. O próprio Deus, depois de criar o mundo em seis dias, descansou no sétimo dia, o sábado, e o abençoou e santificou (Gn 2.1-3). A palavra hebraica *shabbath* significa descansar, cessar ou interromper o trabalho. Posteriormente, após libertar o povo de Israel da escravidão no Egito, Deus estabeleceu como o quarto mandamento do Decálogo:

> Lembre-se de guardar o sábado, fazendo dele um dia santo. Você tem seis dias na semana para fazer os trabalhos habituais, mas o sétimo dia é o sábado do Senhor, seu Deus. Nesse dia, ninguém em sua casa fará trabalho algum: nem você, nem seus filhos e filhas, nem seus servos e servas, nem seus animais, nem os estrangeiros que vivem entre vocês. O Senhor fez os céus, a terra, o mar e tudo que neles há em seis dias; no sétimo dia, porém, descansou. Por isso o Senhor abençoou o sábado e fez dele um dia santo.
>
> Êxodo 20.8-11

Embora existam diversos desdobramentos bíblicos sobre o princípio sabático do descanso, nosso foco neste capítulo recairá sobre quatro aspectos específicos: a origem divina do descanso, a limitação do trabalho, a importância de ciclos de descanso e o ato de dormir com fé.

Em primeiro lugar, o princípio sabático ensina que *descansar começa com Deus*. Em nossos dias muitos entendem o descanso como um prêmio a ser conquistado depois do trabalho. Mas a Bíblia afirma o oposto: o descanso não veio no fim, mas no início da vida humana. Em Gênesis, Deus criou a humanidade durante o sexto dia da criação, e no sétimo dia ele descansou. Repare: o primeiro dia completo da humanidade foi um sábado, um dia de descanso, um dia abençoado e santificado. O descanso é a base da vida humana, não o término. O descanso foi o lugar a partir do qual todo o trabalho humano começaria. Assim, a Bíblia ensina que o ritmo de vida estabelecido por Deus inclui trabalhar a partir de um local de descanso e santificação. Tudo começa na comunhão com o Criador.

Nesse sentido, o descanso é, sobretudo, um tema espiritual, referente a nosso relacionamento com Deus. A Carta aos Hebreus ensina que Jesus Cristo é o verdadeiro sábado e o nosso descanso (Hb 4.1-16). O próprio Senhor Jesus afirmou: "Venham a mim todos vocês que estão cansados e sobrecarregados, e eu lhes darei descanso" (Mt 11.28). Jesus não disse para irmos ao padre, ao pastor, ou a qualquer outra direção, mas a ele próprio: "Venham a mim". Ele nos convida para ele mesmo e oferece um descanso único: "e encontrarão descanso para a *alma*" (Mt 11.29, grifo nosso). Quantas pessoas possuem camas mais caras e enxovais requintados, mas não têm noites de sono abençoadas, pois vivem com a consciência sobrecarregada de culpas e pecados. Somente Jesus pode purificar nossa alma. Biblicamente, a dimensão mais profunda do descanso é espiritual e começa quando a graça de Cristo nos alcança e transforma.

Em segundo lugar, o princípio sabático estabelece a importância de *colocar limites no trabalho*. Quando Deus constituiu o descanso no sábado, os israelitas perceberam o forte contraste com as vidas escravizadas e o ritmo frenético de trabalho que

O PRIMEIRO DIA COMPLETO DA HUMANIDADE FOI UM SÁBADO, UM DIA DE DESCANSO, UM DIA ABENÇOADO E SANTIFICADO. O DESCANSO É A BASE DA VIDA HUMANA, NÃO O TÉRMINO.

enfrentaram enquanto estavam no Egito sob a opressão do faraó. Estabelecer um limite para o trabalho, portanto, é um ato de fé e obediência a Deus e de resistência a uma compreensão materialista que reduz a vida humana a produzir e consumir bens de consumo. O trabalho deve ter limites no tempo, no espaço e no coração: carreira, performance, dinheiro, status e correlatos não podem se tornar ídolos em nossa vida. O apóstolo Paulo faz a equiparação explícita entre ganância e idolatria: "Fiquem longe da [...] ganância, que é idolatria" (Cl 3.5). A menos que o trabalho seja limitado e acompanhado de descanso, não poderemos verdadeiramente experimentar o projeto de Deus para a vida humana.

Há pessoas que, embora crentes em Deus, ainda vivem ansiosas em seu trabalho, com autocobranças desmedidas, dizendo para si mesmas o tempo todo: "Não está bom o suficiente". É evidente que devemos ser excelentes em nosso trabalho e buscar melhorar, mas não podemos nos tornar pessoas doentias e obcecadas. Pessoas saudáveis emocionalmente desfrutam do resultado do trabalho, cultivam gratidão no coração e não ficam se comparando o tempo todo com outros. Portanto, proteja seu coração reconhecendo que o doador e sustentador de sua vida em última instância é Deus. Livre-se da necessidade de agradar a todos e reconheça que não pode controlar tudo. Além disso, o frenesi da competitividade destrói a paz interior, e a incapacidade de delegar e dividir tarefas resulta em sobrecargas autodestrutivas. O princípio do sábado ensina que devemos nos livrar desse apego nocivo ao trabalho e à performance, pois o Pai celeste cuida de nós: "Entreguem-lhe todas as suas ansiedades, pois ele cuida de vocês" (1Pe 5.7).

É importante também limitar os alvos no trabalho. Na carreira profissional é sábio estabelecer metas desafiadoras, porém realistas. Não confunda desafios com fantasias. A Bíblia adverte: "Quem trabalha com dedicação tem fartura de alimento;

quem corre atrás de fantasias não tem juízo" (Pv 12.11; ver 28.19). Longe de ajudar a atingir todo o seu potencial e promover o bem-estar, estabelecer metas exageradas e irrealistas só lhe causará desgaste, frustração e desmoralização. A teimosia em expectativas ilusórias frequentemente leva a crises existenciais. Portanto, reexamine suas expectativas: Os objetivos que você estabeleceu para si dependem única e exclusivamente de você? As etapas do seu projeto são práticas, factíveis e atingíveis? Para aperfeiçoar suas metas tornando-as mais sábias, você precisa defini-las de modo mais simples. Estabeleça inicialmente objetivos pequenos e, na medida de seu desenvolvimento profissional, aumente o escopo e o alcance de seus objetivos (Mt 25.14-30; Lc 19.11-27; 1Tm 3.5).

Para estabelecer metas realistas você também pode:

- Fazer um balanço de suas capacidades e compreender melhor quais são seus pontos fortes e fracos (Rm 12.3).
- Avaliar sua real condição de assumir novos compromissos no curto prazo (Ef 5.16).
- Identificar eventuais ameaças e obstáculos (Pv 14.15).
- Ler e estudar histórias de sucesso e fracasso (Pv 13.20).
- Obter feedback de outras pessoas (Pv 24.6).
- Inserir suas metas em um cronograma mais amplo (Pv 14.29).

Quanto mais estudo você fizer sobre suas metas e mais diligência tiver no trabalho, maiores serão suas chances de sucesso: "Quem planeja bem e trabalha com dedicação prospera; quem se apressa e toma atalhos fica pobre" (Pv 21.5).

Na Bíblia, o princípio sabático da limitação do trabalho é tão sério que também envolve o cuidado com os necessitados, os trabalhadores mais simples, os animais e toda a natureza:

> Plantem e colham os produtos da terra por seis anos, mas no sétimo ano, deixem que ela se renove e descanse sem cultivo. Permitam que os pobres do povo colham o que crescer espontaneamente durante esse ano. Deixem o resto para servir de alimento aos animais selvagens. Façam o mesmo com os vinhedos e os olivais. Vocês têm seis dias da semana para realizar suas tarefas habituais, mas não devem trabalhar no sétimo. Desse modo, seu boi e seu jumento descansarão, e os escravos e estrangeiros que vivem entre vocês recuperarão as forças.
>
> Êxodo 23.10-12

Essas instruções conclamam o povo de Deus em todos os tempos e localidades a levantar a voz contra toda opressão sobre trabalhadores que sejam privados de seu descanso e dignidade. O apóstolo Tiago adverte explicitamente sobre essa questão: "Ouçam os clamores dos que trabalharam em seus campos, cujo salários vocês retiveram de modo fraudulento! Sim, os clamores dos que fizeram a colheita em seus campos chegaram aos ouvidos do Senhor dos Exércitos" (Tg 5.4). A limitação do trabalho, portanto, não é apenas uma questão individual, que diz respeito a nosso próprio sucesso e satisfação, mas é também uma questão coletiva e cósmica, pois diz respeito a todas as pessoas e toda a criação.

Em terceiro lugar, é fundamental *criar ciclos de descanso*. O princípio sabático é mais do que um formalismo, um mero "parar as atividades" por um dia. Trata-se de uma disciplina espiritual que permeia todo nosso ritmo de vida. Quando estudamos a vida de Jesus constatamos que ao longo de seu ministério ele manteve um ritmo de descanso sabático, reservando tempo para solitude, reflexão, oração e contemplação:

- "[Jesus] se retirava para lugares isolados, a fim de orar" (Lc 5.16).

- "Certo dia, pouco depois, Jesus subiu a um monte para orar e passou a noite orando a Deus" (Lc 6.12).
- "No dia seguinte, antes do amanhecer, Jesus se levantou e foi a um lugar isolado para orar" (Mc 1.35).
- "Depois de se despedir de todos, subiu sozinho ao monte para orar" (Mc 6.46).

Biblicamente, os ciclos de descanso são sobretudo ciclos de comunhão com Deus. Como Billy Graham afirmou, "Nada pode acalmar mais nossa alma ou nos preparar melhor para os desafios da vida do que o tempo que passamos a sós com Deus".[6] Passar tempo com Deus é essencial para nossa contínua restauração espiritual. Esse momento regular de adoração a Deus tem dimensões pessoais (Mt 6.6) e comunitárias (Hb 10.25). Toda a perturbação que enfrentamos no dia a dia de um mundo cheio de violência, guerras, pestes e mortes, pode nos levar literalmente à loucura. Se aprendermos a separar tempo para o cultivo do relacionamento com Deus, teremos renovo espiritual e forças para enfrentar as tempestades da existência.

Os ciclos de descanso também são ciclos de quietude. O isolamento recorrente de Jesus da multidão sublinha a importância de abrirmos espaço para o silêncio. Alguém já disse que "podem nos faltar palavras, mas que jamais nos falte silêncio". Sem silêncio até as palavras perdem seu sentido. Um fluxo contínuo e misturado de sons torna as palavras indistinguíveis e incompreensíveis. Assim também, é necessário que haja espaço entre letras e palavras enquanto signos gráficos. Repare, aliás, como nesta frase que você lê agora há uma distância adequada entre cada palavra e entre cada letra. Essa organização é o que permite o processo da leitura. De igual modo, momentos de silêncio e espaço entre as palavras são essenciais para a sanidade mental e espiritual. Um minuto de silêncio com Deus vale mais que semanas de especulação inadequada em sua mente.

Os ciclos de descanso envolvem ainda relacionamentos e reflexão. No primeiro sábado o primeiro homem e a primeira mulher tinham um ao outro. O próprio Jesus regularmente se afastava das multidões com seus discípulos. Nessas ocasiões a Bíblia afirma que eles teriam tempo para descansar e até mesmo se alimentar direito. Por exemplo, Marcos 6.31-32 registra:

> Jesus lhes disse: "Vamos sozinhos até um lugar tranquilo para descansar um pouco", pois tanta gente ia e vinha que eles não tinham tempo nem para comer. Então saíram de barco para um lugar isolado, a fim de ficarem sós.

Em outras ocasiões os Evangelhos mostram que, nos retiros solitários, Jesus iniciava conversas profundas com seus discípulos e os levava a refletir sobre grandes questões. Precisamos de tempo regular para nutrir relacionamentos significativos e para realinhar nossos pensamentos embaralhados no corre-corre da vida. Elimine de sua vida atividades nas quais você não encontra mais valor. Priorize nutrir relacionamentos significativos.

Os ciclos de descanso são ciclos de deleite e contemplação. No primeiro sábado, Deus descansou e se satisfez em sua criação. Tempo para contemplar é essencial para almas criadas para a beleza. O salmista desejou contemplar diariamente a beleza de Deus (Sl 27.4). Jesus ensinou a combater a ansiedade através da observação atenta e reflexiva das aves do céu e dos lírios do campo (Mt 6.25-34; Lc 12.22-34). Se não desenvolvermos um estilo de vida sabático, podemos ser facilmente atropelados pelo imediatismo da vida contemporânea.

Nossa compreensão do tempo é tão profundamente arraigada em nossos hábitos que perdemos a consciência de como

PODEM NOS

FALTAR PALAVRAS,

MAS QUE JAMAIS

NOS FALTE

SILÊNCIO.

ela nos molda em todas as áreas. Luisa J. Gallagher afirma que "nos acostumamos a um certo ritmo, a regras tácitas, e logo esses padrões passam a parecer uma segunda natureza".[7] Nesse contexto, vale ressaltar a importância de estabelecermos tempo longe de dispositivos eletrônicos. Os telefones celulares fornecem aos empregadores acesso aos funcionários a qualquer momento, assim como vendedores, clientes, colegas e concorrentes. Muitas pessoas começam e terminam seus dias com o telefone celular nas mãos. Também pode ser desafiador estabelecer ciclos de descanso em contextos de trabalho em *home office*. Especialmente no período da pandemia de covid-19, o confinamento em casa e a expansão de diversas modalidades de trabalho remoto embaçaram a linha divisória entre a vida pessoal e o âmbito profissional. Mas não podemos esmorecer: é preciso inteligência, determinação e convicção para não permitir que o trabalho engula os momentos de descanso. Desligue todos os eletrônicos, desligue o barulho e respire. Desenvolva o hábito de respirar profundamente. Em Gênesis, Deus soprou vida no homem. Respire profundamente e a cada respiração lembre-se de quem está respirando em você.

Em quarto e último lugar, o princípio sabático nos ensina a *dormir com fé*. Descanso é, por definição, restaurador. É des-*cansar*. Diversos estudos científicos indicam que a qualidade e a quantidade do sono estão diretamente ligadas à pressão arterial, aos níveis de açúcar no sangue, à eficácia do sistema imunológico, à preservação da memória, à estabilidade emocional e ao desempenho cognitivo geral.[8] Um provérbio irlandês diz: "Uma boa risada e um longo sono são as melhores curas no livro do médico". De fato, não há praticamente nenhum distúrbio psiquiátrico em que o sono da pessoa seja normal. Ficar sem dormir é uma tortura, não um troféu.

Por outro lado, dormir bem é um indício de saúde emocional. Na Bíblia, dormir é também um tema espiritual. O sono é um presente dado por um Deus que nunca dorme e expressa nossa fé em seus cuidados. O salmista afirma: "Deitei-me e dormi; acordei em segurança, pois o SENHOR me guardava" (Sl 3.5). O sono tranquilo é descrito como o oposto da ansiedade. Podemos dormir porque o Pai não dorme. Jesus dormiu pacificamente no meio de uma tempestade violenta (Mc 4.37-39). O sono de Jesus é o sono de paz que um mundo caído e inquieto considera difícil de alcançar.[9]

Portanto, leve a sério suas noites de sono e encare o ato de dormir com fé. Desenvolva uma rotina relaxante na hora de dormir. O descanso é a ponte que permite a transição de um dia agitado para uma noite de sono tranquila. Deligue os aparelhos eletrônicos, coloque seus pensamentos ansiosos diante de Deus, renove sua mente nas Escrituras. Não perca de vista o discernimento e, "quando for dormir, não sentirá medo; quando se deitar, terá sono tranquilo" (Pv 3.24).

4

examine regularmente sua vida

O que é necessário para receber a verdadeira bênção de se ver no espelho da Palavra? Em primeiro lugar, é necessário que você não olhe apenas para o espelho, mas olhe para você mesmo dentro do espelho.

SØREN KIERKEGAARD[1]

Enganamos a nós mesmos com uma frequência impressionante. Há três exemplos de autoengano muito estudados na literatura científica.[2]

Primeiro, a *ilusão de controle,* na qual a pessoa tem uma crença infundada de que pode controlar eventos que são completamente externos e independentes. É o caso comumente verificado em cassinos, quando as pessoas tendem a imaginar que terão maiores chances de vencer um jogo se elas próprias lançarem os dados. Nessas ocasiões os jogadores costumam fazer apostas maiores.

Segundo, a *crença de ser acima de média* (também chamada de ilusão de superioridade), na qual a pessoa tem uma percepção de que sua trajetória e suas competências são mais positivas do que a realidade indica. Um exemplo famoso vem de uma pesquisa realizada com professores colegiais: 94% acreditam que são professores acima da média. Eles não podem estar todos certos.

Terceiro, o *otimismo não realista,* no qual a pessoa acredita que está imune a todo tipo de evento negativo como doenças e crises conjugais. Há pessoas que simplesmente não refletem adequadamente sobre a própria vida. Uma vida sem autoexame invariavelmente leva a frustrações, decepções e todo tipo de sofrimentos desnecessários.

O autoexame é uma disciplina central na tradição espiritual cristã. Trata-se de uma profunda reflexão sobre a vida à luz da Palavra de Deus e com o auxílio do próprio Deus. A Bíblia adverte: "Ainda que as pessoas se considerem corretas, o Senhor examina o coração de cada um" (Pv 21.2). É muito mais fácil para uma pessoa presumir que está certa e os outros errados do que examinar sinceramente sua própria vida. Podemos enganar os outros e até a nós mesmos, mas não podemos enganar a Deus (Gl 6.7-8). A sabedoria do autoexame consiste em avaliar honestamente nossa vida para que possamos ser o que Deus deseja e não o que nossa carne aceitou como permitido. Através do autoexame no temor do Senhor, dissipamos ilusões na compreensão de nós mesmos, ampliamos nossa confiança em Deus, comprovamos a saúde de nossa vida espiritual e nos tornamos aptos a auxiliar outras pessoas.

Lamentavelmente, muitas pessoas são boas em examinar a vida dos outros, mas incapazes de examinar a si mesmas. Jesus advertiu contra a hipocrisia de apontar o cisco nos olhos dos outros, sem antes retirar a enorme viga dos próprios olhos (Mt 7.3). Embora seja muito mais fácil ver os pecados e as faltas dos outros, Paulo exortou a igreja em Corinto: "Examinem a si mesmos. Verifiquem se estão praticando o que afirmam crer. Assim, poderão ser aprovados. Certamente sabem que Jesus Cristo está entre vocês; do contrário, já foram reprovados" (2Co 13.5). A palavra grega traduzida nesse texto como "examinar" é *peirazo*, que se refere a uma prova, um teste, uma intensa inspeção com o propósito de comprovar algo. O autoexame não é um procedimento banal, corriqueiro, feito com pressa e de modo superficial. Por exemplo, muitos cristãos têm o hábito de iniciar suas orações pedindo perdão a Deus em arrependimento por qualquer pecado que tenham cometido. Esse hábito, ainda que importante, não exatamente configura um autoexame. Conforme aprendemos nas Escrituras, o autoexame é um processo muito mais completo e profundo do que simplesmente uma oração pedindo purificação, pois envolve reflexão, confrontação e desenvolvimento do caráter.

As Escrituras ensinam que autoexame não é mera autocrítica. Perceba que Paulo afirmou que os coríntios "certamente sabem que Jesus Cristo está entre vocês". A presença do próprio Senhor é o diferencial do autoexame cristão. Os servos de Deus não examinam a si mesmos baseados em seu próprio entendimento, pois "o coração humano é mais enganoso que qualquer coisa e é extremamente perverso; quem sabe, de fato, o quanto é mau?" (Jr 17.9). Se dependermos apenas de nós mesmos, podemos facilmente cair em extremos. Existem aqueles que se julgam puros, pois estão cheios de autojustificativas; mas também existem aqueles que se tornam deprimidos, cheios de autocomiseração. Em ambos os casos existem critérios errados de avaliação e uma dose considerável de orgulho.

Por isso, no autoexame cristão, o critério para a análise é o evangelho de Jesus. A obra de Cristo na cruz revela, por um lado, a violência e malignidade de nosso pecado, e por outro, a grandiosidade e o poder do amor de Deus. Na morte e ressurreição de Cristo, compreendemos nossa própria identidade, a seriedade de nosso pecado e a bênção da nova vida que recebemos nele. Não somos transformados absorvidos em nós mesmos, mas contemplando a glória de Cristo (2Co 3.18). Robert Murray M'Cheyne afirmou: "Para cada olhar para si mesmo, dê dez olhadas para Cristo".[3]

Vivemos em uma época em que nossa vida é monitorada através de diversos apetrechos tecnológicos. A professora Shoshana Zuboff afirma que "houve um tempo em que era você quem fazia a busca no Google, mas agora é o Google que busca você".[4] Há pessoas que monitoram e avaliam diária e obcecadamente seu próprio rendimento físico: quantidade de passos, frequência cardíaca, pressão arterial, etc. A pesquisadora Deborah Lupton

PARA OS QUE SE JULGAM PUROS, A CRUZ NÃO É NECESSÁRIA; PARA OS QUE SE JULGAM SEM NENHUM VALOR, A CRUZ NÃO É SUFICIENTE.

afirma que vivemos na era do *quantified self*, os seres humanos quantificados.[5] Contudo, Deus nos conhece melhor do que qualquer equipamento que exista ou venha a existir. Ele conhece as profundezas em nosso espírito. Ele nos conhece melhor do que nós mesmos. O Senhor é inteiramente digno de confiança, e é ele quem estabelece os parâmetros da avaliação em sua Palavra. Por isso, no autoexame cristão clamamos pela ajuda do próprio Deus assim como fez o salmista: "Examina-me, ó Deus, e conhece meu coração; prova-me e vê meus pensamentos. Mostra-me se há em mim algo que te ofende e conduze-me pelo caminho eterno" (Sl 139.23-24).

Quando as pessoas se olham no espelho, elas veem um reflexo de si mesmas. As pessoas precisam olhar no espelho espiritual e examinar a sua realidade espiritual, medindo sua vida pelo padrão da Palavra de Deus (Tg 1.22-25). Tatuagem de versículo não nos protege. Camisetas, adesivos e pulseiras com frases evangélicas não são capazes de mudar nossa vida. A Palavra precisa nos transformar de dentro para fora. Portanto, leia e reflita em textos bíblicos essenciais sobre a conduta cristã, como, por exemplo, as bem-aventuranças (Mt 5.1-12), as obras da carne e o fruto do Espírito (Gl 5.19-23), e os Dez Mandamentos (Êx 20.1-21). Pergunte-se honestamente se você está vendo alguma dessas atitudes ou comportamentos em sua vida. Mas realize esse exame sempre no temor do Senhor e em sua presença. Deus é quem nos quebranta para reconhecermos nossos erros, e é ele quem nos revigora e nos enche de esperança. O próprio Deus nos examina e prova: "Eu, o SENHOR, examino o coração e provo os pensamentos. Dou a cada pessoa a devida recompensa, de acordo com suas ações" (Jr 17.10).

O autoexame deve ser realizado com regularidade. Só porque alguém serviu ao Senhor durante anos, não significa que hoje esteja vivendo de forma agradável a Deus (1Co 10.12). Assim,

SÓ PORQUE

ALGUÉM SERVIU

AO SENHOR

DURANTE ANOS,

NÃO SIGNIFICA

QUE HOJE ESTEJA

VIVENDO DE

FORMA AGRADÁVEL

A DEUS.

somos convocados a realizar o autoexame com Deus no ato solene da Ceia do Senhor: "Portanto, examinem-se antes de comer do pão e beber do cálice" (1Co 11.28). Nenhuma área pode ser poupada. Desconfie de si mesmo. É necessário examinar motivações, palavras, pensamentos, ações, reações, inseguranças, perplexidades, relacionamentos, estudos, trabalho, finanças, dores, prazeres, enfim, toda a vida. Precisamos refletir e orar como Jó: "Diga-me, o que fiz de errado? Mostra-me minha rebeldia e meu pecado" (Jó 13.23). Uma vez identificado o pecado em nossa vida, precisamos confessá-lo e renunciá-lo. Comumente temos dificuldade em admitir erros, mas precisamos ser humildes e reconhecê-los. Não busque autojustificativas. Justificar um erro é errar outra vez. A Bíblia ensina que Deus perdoa pecados confessados, não desculpas esfarrapadas (1Jo 1.5-10; Pv 28.13). Quando um crente é honesto e aberto diante de Deus, haverá crescimento espiritual contínuo.

Muitas pessoas praticam diariamente o *exame de consciência noturno*, realizado antes de dormir. O salmista afirmou a esse respeito: "À noite, relembro canções alegres; consulto minha alma e procuro compreender minha situação" (Sl 77.6). Nesse autoexame noturno, podemos refletir sobre nosso dia e, sobretudo, o estado de nossa consciência. Ela é boa (1Tm 1.5), limpa (1Tm 3.9) e pura (2Tm 1.13)? Ou é fraca (1Co 8.7), corrompida (Tt 1.15) e cauterizada (1Tm 4.2)? Somos todos humanos e propensos ao erro e ao desequilíbrio se não dedicarmos tempo ao autoexame e à revisão de vida. Uma vez que desenvolvamos esse hábito diário, teremos maior capacidade de viver com uma consciência isenta de ofensas para com Deus e as pessoas (At 24.16).

Jejum e oração também são hábitos historicamente associados ao autoexame. As Escrituras indicam que jejuando e orando podemos aumentar nosso sentido de humildade e lembrar-nos o quanto precisamos de Deus, isto é, teremos a mentalidade adequada para o autoexame. Uma prática adicional nesse processo é *manter um diário espiritual*. Ter um caderno para anotar com regularidade suas orações, angústias, alegrias, reflexões bíblicas é uma estratégia amplamente praticada por cristãos em todo o mundo. Escrever permite registrar pensamentos e examiná-los. Por exemplo, o livro de Ester relata que em certa ocasião o rei, sem conseguir dormir, passou a refletir sobre o livro das crônicas de seu reinado (Et 6.1). Além da reflexão, manter um diário nos permite observar melhor o que desencadeia sentimentos bons ou ruins em nossa vida. Essa é uma boa prática para tornar-nos mais conscientes espiritual e emocionalmente.

O autoexame cristão implica uma reflexão séria sobre nossas emoções e sentimentos. As emoções ocupam um lugar central em nossa caminhada. A complexidade das emoções corresponde à complexidade da própria vida humana. Assim, não seja superficial ao tratar seu temperamento. É proveitoso descrever e nomear com maior precisão o que você está sentindo. Quando alguém pergunta: "Como você está?", regularmente respondemos: "Estou bem". Ocorre que "bem" não é um sentimento, é apenas uma resposta padrão, afável e cortês. O problema é quando somos escapistas e imprecisos diante de nós mesmos. Portanto, no momento adequado, reflita detalhadamente sobre o que realmente faz você "bem". Seja mais específico: "Sinto-me grato", "entusiasmado", "leve".

A Universidade Berkeley divulgou um estudo que identificou 27 sentimentos humanos básicos: admiração, adoração, alívio, anseio, ansiedade, apreciação estética, arrebatamento, calma, confusão, desejo sexual, dor empática, espanto, estranhamento, excitação, horror, inveja, interesse, júbilo, medo, nojo, nostalgia, raiva, romance, satisfação, surpresa, tédio e tristeza.[6] Dar nomes aos sentimentos é um excelente exercício para se entender de fato que, como disse o poeta Fernando Pessoa, "a cada emoção uma personalidade, a cada estado de alma uma alma".[7]

De tempos em tempos é valioso realizar *retiros espirituais* para uma reflexão calma e profunda. Vimos no capítulo anterior que o próprio Senhor Jesus realizava regularmente retiros de oração e reflexão. Podemos aproveitar mudanças de estação, feriados, férias, virada do ano, virada do semestre, entre outros, como oportunidades de autoexame. Realize inventários de sua própria vida. Revise e reflita sobre sua agenda, seu correio eletrônico, suas gavetas. Separe tempo para refletir, por exemplo:

- Quantos amigos novos eu fiz?
- Quais livros edificantes eu li?
- Quem eu alegrei?
- Qual a porcentagem de palavras boas e palavras más que saiu da minha boca?
- Quais talentos eu desenvolvi?
- Quais são minhas motivações?
- Como estão minhas reações aos dissabores da vida?
- Estou testemunhando de fato o evangelho?

Ostentação espiritual não salva ninguém (Lc 16.15; 2Co 10.18). Jesus falou extensivamente sobre a justiça própria dos líderes religiosos hipócritas (Mt 23.23-29). Eles falavam as palavras certas e vestiam as roupas corretas, mas viviam interiormente na imundícia espiritual. Eram lobos em pele de cordeiro. Quem leva a disciplina espiritual do autoexame a sério, também leva a sério o alerta de Jesus de que nem todos os que clamam seu nome da boca para fora entrarão no reino dos céus (Mt 7.21-23). Portanto, "examinemos nossos caminhos e voltemos para o Senhor" (Lm 3.40).

5
cuide de seu corpo

Sou um coração batendo no mundo.

CLARICE LISPECTOR[1]

Fica evidente nas Escrituras a integração entre saúde física, mental e espiritual. Provérbios afirma que aquele que acata a sabedoria recebe vida e "saúde a todo o corpo" (Pv 4.22). Do mesmo modo, "o contentamento dá saúde ao corpo" (Pv 14.30) e "o coração alegre é um bom remédio" (Pv 17.22). O apóstolo João ao saudar seu remetente diz: "Amado, espero que você esteja bem e fisicamente tão sadio quanto é forte em espírito" (3Jo 1.2). Paulo também intercedeu pela saúde dos tessalonicenses em todas as suas dimensões: "que o Deus da paz os torne santos em todos os aspectos, e que o espírito, a alma e o corpo de vocês sejam mantidos irrepreensíveis até a volta de nosso Senhor Jesus Cristo" (1Ts 5.23). A Bíblia ensina, assim, que cuidar do próprio corpo é uma atitude humana elementar: "Ninguém odeia o próprio corpo, mas o alimenta e cuida dele" (Ef 5.29). Para os cristãos, o corpo também é um templo de Deus, habitado pelo próprio Espírito Santo (1Co 6.19-20). Portanto, o corpo não deve ser idolatrado (pois não é Deus), mas também não deve ser menosprezado e tratado com desdém (pois é um templo). Promover o bem-estar físico é uma maneira de honrar a Deus. Neste capítulo destacaremos especificamente três dimensões do cuidado corpóreo: devemos *nutrir* o corpo, *exercitar* o corpo e *zelar* pelo corpo.

Em primeiro lugar, precisamos *nutrir adequadamente nosso corpo*. Sempre que as pessoas vêm à mesa, elas demonstram com

A BÍBLIA COMEÇA E TERMINA COM REFEIÇÕES. AS PRIMEIRAS PALAVRAS DE DEUS À HUMANIDADE SÃO UM CONVITE PARA COMER; A VISÃO FINAL DO MUNDO É UM BANQUETE FESTIVO DE CASAMENTO.

a evidência inequívoca de seus estômagos que não são deuses autossustentáveis, mas criaturas finitas e mortais, dependentes das múltiplas boas dádivas de Deus: luz solar, água, fertilidade do solo, fotossíntese, abelhas, galinhas, vacas, agricultores, fazendeiros, cozinheiros, estranhos, amigos e assim por diante.[2] Comer nos lembra que participamos de um mundo saturado da graça de Deus. É interessante notar que a Bíblia começa e termina com refeições. As primeiras palavras de Deus à humanidade são um convite para comer; o primeiro conflito na Bíblia se dá por causa de uma refeição proibida; o primeiro milagre de Jesus envolveu a transformação da água em vinho; o último ato de Jesus antes de sua morte foi compartilhar uma ceia com pão e vinho; e a visão final do mundo é um banquete festivo de casamento. A alimentação é um tema teológico central.[3]

No curso dos séculos os teólogos cristãos refletiram sobre a superabundância de Deus, que vive eternamente em compartilhamento mútuo de amor nutritivo, verdade, bondade e beleza mutuamente entre Pai, Filho e Espírito Santo. O dom de Deus foi graciosamente compartilhado com a criação e a humanidade. A criação é um banquete cósmico e uma rede interdependente de sinais comestíveis que participa da partilha divina. O pecado humano desarranjou a comunidade nutritiva da criação. Como resposta, a Encarnação é a partilha radical de Deus, que se tornou o próprio alimento no banquete eucarístico. Jesus Cristo, o Pão Vivo que desceu do céu, reorientou a interdependência entre as comunidades humanas, entre a humanidade e a criação, e entre toda a criação e Deus.

Na perspectiva cristã, importa não apenas o que comemos, mas como comemos. "Portanto, quer vocês comam, quer bebam, quer façam qualquer outra coisa, façam para a glória de Deus" (1Co 10.31).[4] Diante de qualquer refeição, precisamos ter consciência de que Deus é o Senhor da vida. Nem a comida, nem a dieta podem ser ídolos em nosso coração. O desejo por comida não pode dominar sua vida. Paulo falou sobre pessoas cujo deus é o próprio estômago (Fp 3.19) e advertiu contra desejos descontrolados e nocivos (2Tm 1.7; ver Pv 23.20-21). Muitas pessoas desenvolvem hábitos alimentares compulsivos. Em meio a situações difíceis, como frustração, estresse, solidão e tristeza, começam a comer demasiadamente em busca de conforto, consolo e fuga. Jesus ensinou que a vida é maior que a comida (Lc 12.23) e que nem só de pão viverá o homem, mas de toda palavra que procede da boca de Deus (Mt 4.4). O domínio próprio é fruto do Espírito Santo na vida dos discípulos de Jesus. Assim, para nutrir adequadamente nosso corpo, devemos evitar o excesso de alimentos notoriamente danosos para a saúde humana, como processados, gorduras, açúcares e assim por diante.

A irmã Becky Lehman, em seu livro *Menos de mim: Um devocional para sua jornada de perda de peso*, afirma que os cristãos precisam estar mais atentos quando estão se alimentando. De fato, através da oração antes das refeições, é possível agradecer a dádiva do alimento, interceder por aqueles que necessitam da provisão e pedir autocontrole ao Espírito de Deus.[5]

Em nossa nutrição também não podemos cair no outro extremo, isto é, a idolatria da dieta, o endeusamento do corpo e da aparência. Há pessoas que passam a exaltar dietas rígidas e práticas ascéticas como forma de salvação, uma atitude expressamente condenada nas Escrituras (Cl 2.16-23). De fato, as regras alimentares cerimoniais foram tema de grande importância para as comunidades cristãs primitivas, pois historicamente foram algumas das marcas definidoras dos israelitas. A lei levítica classificou os alimentos puros e os impuros, isto é, próprios e impróprios para o consumo humano, bem como delineou os procedimentos cerimoniais para a preparação das refeições e seu usufruto. Mas a partir de Cristo, todos os alimentos foram considerados puros (Mc 7.14-23; At 10.9-28; 1Co 8.1-13; 10.23-33; 1Tm 4.3-5). O próprio Senhor Jesus não foi asceta e participou com alegria e assiduidade das refeições. Esse comportamento fez com que seus inimigos o acusassem de "beberrão" e "comilão" (Mt 11.19; Lc 7.34). A denúncia, obviamente falsa, era proveniente de líderes religiosos hipócritas que não toleravam a abordagem sociável e feliz de Jesus, que valorizava a beleza da vida criada por Deus. Jesus ensinou e demonstrou que comer é um momento legítimo de alegria, satisfação e gratidão para os filhos e filhas de Deus.

Assim, ao nutrirmos nosso corpo, devemos aprender a saborear os alimentos. Como afirma Eclesiastes: "Coma sua comida com prazer e beba seu vinho com alegria, pois Deus se agrada disso" (Ec 9.7).

Há dois provérbios bíblicos que modulam o hábito de comer com sabedoria: "Meu filho, coma mel, pois é bom, e o favo é doce ao paladar" (Pv 24.13); e "Se você encontrar mel, não coma demais para não enjoar e vomitar" (Pv 25.16). A pessoa com o corpo bem nutrido sabe tanto saborear como limitar a alimentação. Na língua portuguesa, a conexão entre os termos *saber* e *sabor* é muito interessante. Ambos os termos têm raízes no vocábulo latino *sapio* ou *sapere*, que significam tanto "ter sabor", "ter gosto", como "entender", "saber". A conexão entre sabedoria e alimentação é inquestionável.

Muitas pessoas, quando entram em profunda depressão, perdem o apetite e passam a definhar. O episódio bíblico de Elias na caverna é instrutivo a esse respeito. No momento de profundo desânimo do profeta, o próprio Senhor Deus o levou a um período de descanso e alimentação. Enquanto Elias dormia, um anjo o tocou e disse: "Levante-se e coma!" (1Rs 19.5). Elias, então, comeu, bebeu e se deitou novamente. Depois da repetição desse processo, a Bíblia relata que "Elias se levantou, comeu e bebeu, e o alimento lhe deu forças para uma jornada de quarenta dias e quarenta noites" (1Rs 19.8). Outro episódio emblemático está registrado em Atos: um navio com 276 pessoas a bordo enfrentou uma tempestade e ficou à deriva. Paulo, então, insistiu que todos comessem. "De tão preocupados, vocês não se alimentam há duas semanas" disse ele. "Por favor, comam alguma coisa agora, para seu próprio bem" (At 27.33-34). Depois de tomar o pão e dar graças a Deus na presença de todos, Paulo partiu-o em pedaços e comeu. "Todos se animaram e começaram a comer" (At 27.36).

O evangelho nos ensina a importância da alimentação não só para nós mesmos, mas para todas as pessoas. Que possamos também estender a mão para os necessitados que precisam do pão. Conforme nos lembra Angel Montoya, a Ceia do Senhor é o maior paradigma de epistemologia e ontologia culinária.[6] O próprio Jesus é o alimento definitivo que nutre e sacia nossa vida. Repensar nossos hábitos alimentares é uma atitude sábia: podemos realizar uma desintoxicação alimentar; reavaliar a quantidade de comida que colocamos no prato; evitar comidas gordurosas; aumentar o consumo de frutas, vegetais, legumes e grãos integrais; ser mais gratos pelo alimento que temos; trabalhar com mais amor e misericórdia em prol das pessoas famintas; aproveitar melhor os momentos de refeição compreendendo à luz do evangelho o seu significado espiritual.

Em segundo lugar, devemos *exercitar o corpo*. De acordo com a Organização Mundial da Saúde, a obesidade mundial quase triplicou de 1975 a 2016. Entre os principais fatores apontados estão não apenas a ingestão de muitos alimentos gordurosos e açucarados, mas também mudanças drásticas no estilo de vida das pessoas, que se tornaram mais inativas fisicamente. A natureza sedentária das novas formas de trabalho, a urbanização e as novas formas de transporte foram apontadas como fatores inibidores da prática de atividades físicas.[7] Os trabalhadores hoje passam longos períodos sentados, o que os coloca em risco significativamente maior de doenças. Diversos médicos afirmam que o hábito de se sentar por muito tempo é "o novo tabagismo" e um verdadeiro "assassino silencioso".[8]

Nesse contexto, devemos ter em vista que a Bíblia afirma substancialmente o movimento como uma característica importante do corpo humano. Ao sintetizar a vida humana em Deus, Paulo afirmou que: "nele vivemos, nos *movemos* e existimos" (At 17.28, grifo nosso). Movimento é vida: nosso coração pulsa, nossos pulmões inspiram e expiram, nosso sangue circula por todo o corpo. Praticar exercícios é, portanto, promover nosso bem-estar físico e mental de diversas maneiras: aumentando a vitalidade; fortalecendo os músculos; reduzindo a pressão arterial; proporcionando emoções agradáveis com a liberação de endorfinas; regulando o açúcar no sangue; melhorando a função cardíaca; reduzindo o estresse, a ansiedade e a depressão; aumentando a qualidade do sono à noite.

Paulo, em especial, utilizou múltiplas metáforas e terminologias atléticas em seus escritos.[9] Ele almeja não ter corrido em vão em sua atividade missionária (Gl 2.2; Fp 2.16), e censura os cristãos gálatas: "Vocês estavam indo bem na corrida; quem os impediu de seguir a verdade?" (Gl 5.7). Em Romanos 9.16, ele afirma que a misericórdia depende apenas de Deus, e não de nossa corrida, isto é, de nossos próprios esforços. Em Filipenses 1.27-30, encoraja a igreja a agir como um time taticamente ajustado. Em Colossenses, afirma lutar pelos crentes (Cl 1.29-2.1), assim como Epafras (Cl 4.12). O desejo de Paulo era correr em direção à linha de chegada e receber o prêmio celestial (Fp 3.12-14). No final da vida ele afirmou ter completado a carreira (2Tm 4.7-8). Há diversos outros usos alusivos às práticas atléticas nos escritos paulinos,[10] mas destacaremos três textos mais diretos:

Vocês não sabem que, numa corrida, todos competem, mas apenas um ganha o prêmio? Portanto, corram para vencer. O atleta precisa ser disciplinado sob todos os aspectos. Ele se esforça para ganhar um prêmio perecível. Nós, porém, o fazemos para ganhar um prêmio eterno. Por isso não corro sem objetivo nem luto como quem dá golpes no ar. Disciplino meu corpo como um atleta, treinando-o para fazer o que se deve, de modo que, depois de ter pregado a outros, eu mesmo não seja desqualificado.

1Coríntios 9.24-27

O exercício físico tem algum valor, mas exercitar-se na devoção é muito melhor, pois promete benefícios não apenas nesta vida, mas também na vida futura.

1Timóteo 4.8

O atleta não conquista o prêmio se não seguir as regras.

2Timóteo 2.5

Na leitura conjunta desses textos, aprendemos que Paulo considerava os exercícios físicos uma atividade legítima e valorosa, capaz de promover não apenas uma compleição físico-psíquica saudável, mas também o caráter. Paulo associa a prática esportiva ao desenvolvimento da disciplina, da paciência, da firmeza de propósitos, da superação de desafios, da criatividade, da responsabilidade. Diante desses ensinamentos bíblicos, considere refletir sobre sua vida e aprimorar seus hábitos atléticos. Assuma a responsabilidade pela sua saúde (Gl 6.5) e evite dar desculpas (Ec 11.4).

Muitas vezes associamos o exercício a algo que tem de ser punitivo e desagradável, por isso evitamos ou procrastinamos até que possamos fazer "algo oficial", como frequentar uma academia devidamente equipada. Para exercitar o corpo *não é necessário* ter equipamentos caros ou atravessar a cidade até uma academia. É certamente vantajoso estar na academia, mas também é possível realizar alongamentos, trabalhar em um jardim, varrer folhas. Caminhar é uma das formas universalmente conhecidas para se manter a forma e permanecer saudável, e é uma atividade gratuita e eficaz. É estimulante saber que temos muitas opções e maneiras interessantes de movimentar o corpo e praticar exercícios. Não importa como escolhemos nos mover, contanto que o façamos. Encontre alguém para fazer exercícios com você. Uma companhia pode incentivar a perseverança na rotina (Ec 4.9-10). E lembre-se que o próprio Senhor está sempre do seu lado (Mt 28.20).

Em terceiro lugar, é necessário *zelar pelo corpo*. Não é sábio envenenar o corpo com vícios, nem ignorar os recursos da medicina. Muitas vezes somos acometidos por doenças físicas e insistimos em manter nossas atividades. Diante das enfermidades podemos orar com fé (Tg 5.14-15), pois Deus é poderoso para curar e restaurar a saúde humana (Sl 41.3). Mas, como já frisamos na introdução desta obra, a oração por cura não anula a importância da ajuda de médicos e profissionais da saúde, se necessário. A própria igreja cristã auxiliou decisivamente o desenvolvimento da medicina moderna, criando instituições hospitalares e faculdades de medicina, e estabelecendo valores e práticas que visam o cuidado da saúde humana integral.

Diante disso, é sábio realizar um *check-up* médico regularmente. Assim como Deus, em sua misericórdia, nos provê recursos para usarmos com sabedoria, tempo para usarmos com organização, relacionamentos para desenvolvermos com amor, talentos para multiplicarmos, ele também nos dá um corpo para administrarmos bem. Exames médicos regulares podem ajudar a revelar possíveis problemas de saúde antes que se agravem. A detecção precoce nos dá a oportunidade de obter tratamento e evitar complicações, aumentando as chances de cura. Ao monitorar de perto a condição física reduzimos custos e sofrimentos desnecessários com a saúde e aumentamos a qualidade e expectativa de vida. Muitas vezes a pessoa pode estar especulando mil coisas sobre sua saúde, sentindo-se triste e sem ânimo. Um simples *check-up* pode revelar algum déficit nutricional fácil de ser solucionado.

Infelizmente, muitas pessoas vivem em situações extremamente precárias, sem saneamento básico, sem acesso a alimentação adequada, remédios e tratamentos médicos. Esse fato deveria ser um estímulo decisivo para que cristãos de todo o mundo que tenham condições de cuidar adequadamente do próprio corpo estejam atentos, mobilizados e preparados para auxiliar os necessitados. Quando cuidamos de nosso corpo, podemos de fato estar "sempre prontos a fazer o que é bom" (Tt 3.1). Jesus "entregou sua vida para nos libertar de todo pecado, para nos purificar e fazer de nós seu povo, inteiramente dedicado às boas obras" (Tt 2.14). Não há dúvidas que uma vida dedicada a servir as pessoas será mais frutífera com um corpo saudável. Usamos nossos braços para levantar os caídos, nossas mãos para carregar mantimentos, nossas pernas para viajar a lugares onde pessoas estão precisando de ajuda. É privilégio dos cristãos buscar a purificação de tudo que contamina o corpo ou o espírito (2Co 7.1). Que possamos, de fato, entregar nosso corpo a Deus como um sacrifício vivo e santo (Rm 12.1).

6

mantenha a higiene mental

Pensar enlouquece. Pense nisso.

ANÔNIMO

Manter a higiene mental é fundamental para a santidade e a sanidade. Em Filipenses 4.8 somos instruídos a nos concentrarmos "em tudo que é verdadeiro, tudo que é nobre, tudo que é correto, tudo que é puro, tudo que é amável e tudo que é admirável" e a pensarmos "no que é excelente e digno de louvor". Esse texto bíblico implica que temos o poder de governar nossos pensamentos e que, portanto, somos responsáveis por eles. Ou seja, podemos e devemos exercer um rígido controle sobre essa área da vida que muitos nunca pensam em controlar.

Nossa mente não é uma latrina. Não dê guarida para lixo e dejetos dentro de sua cabeça. Temos a possibilidade de decidir o que vamos permitir que permaneça em nossos pensamentos e o que devemos deixar do lado de fora. Quem não domina o próprio espírito é comparado com uma cidade destruída, sem muros, onde qualquer um pode entrar e qualquer um pode sair (Pv 25.28). Se os pensamentos forem ordenados, a vida exterior também será. Os pensamentos moldam nossas ações. Mais cedo ou mais tarde, o que tem sido um fluxo de pensamentos na vida de uma pessoa aparecerá e se manifestará, tornando-se visível em suas ações. Assim como um relâmpago prenuncia o estrondo do trovão, os pensamentos cultivados frequentemente prenunciam ações no mundo externo.

Não por acaso, o apóstolo Paulo prossegue seu argumento aos filipenses dizendo: "Continuem a praticar tudo o que aprenderam" (Fp 4.9). A prática segue os pensamentos. Quando caminhamos por uma grande via, como a Avenida Paulista, em São Paulo, ficamos impressionados com a imponência e solidez das construções. É interessante considerar que todos aqueles edifícios começaram como meros pensamentos e ideias.

Neste capítulo, portanto, *pensaremos sobre como pensamos*. Destacaremos especificamente as seguintes atitudes ensinadas nas Escrituras: eliminar pensamentos deprimentes, cultivar pensamentos virtuosos e reeducar a memória.

Pensar é como arrumar uma casa. Em primeiro lugar, devemos *eliminar pensamentos negativos repetitivos*. Assim como a poeira, os pensamentos tristes aparecem de todas as partes: frustrações profissionais, ofensas gratuitas, prejuízos financeiros, injustiças, desesperança com a mudança de comportamento de alguém que amamos, ressentimentos de toda ordem, crises de desânimo ministerial, perda de um amor, insatisfação com o próprio desempenho profissional.

Os dissabores da vida são comuns. O incomum é alimentar os pensamentos amargos. Esse hábito, também chamado de ruminação depressiva, causa todo tipo de problemas na saúde mental. A pessoa fica pensando e repensando ciclicamente sobre coisas que deram errado, o que dificulta o desligamento e relaxamento da mente. O foco do pensamento recai apenas sobre falhas e erros, e não sobre maneiras de melhorar as coisas. A ruminação negativa projeta problemas no futuro, desenhando um horizonte distorcido. Pensamentos excessivos sobrecarregam a mente, dificultando até mesmo decisões simples do dia a dia, como escolher uma roupa para vestir. A pessoa perde a capacidade de realizar coisas simples porque fica perdida dentro de si mesma. O salmista amargurado afirmou: "Meu coração está esgotado, secou-se como capim; até perdi o apetite" (Sl 102.4).

Portanto, é necessário tomar cuidado. Quando você se prende aos pensamentos tristes, pode tirar as piores conclusões possíveis de suas emoções, e não dos fatos.

Pensamentos pesados têm a capacidade de nos deixar "para baixo". Repare que é justamente a noção de peso que molda o termo "depressão", que vem do latim *deprimire*, isto é, "pressionar, deprimir". O significado literal do termo depressão está intimamente ligado à acepção psicológica do termo que se tornou popular no século 19,[1] ou seja, um sentimento de peso interior, um estado de tristeza, de esmagamento do ânimo. De fato, exaustão e tristeza impactam nosso semblante e nossa postura: não temos energia para ficarmos em pé, as pálpebras pesam, os ombros caem, a cabeça inclina, as costas se curvam.

Os momentos de tristeza são inevitáveis em nossa caminhada nesta terra. Conforme estudamos no capítulo 1, há tempo de lamentar e chorar. Contudo, coisa bem diferente é cultivar a amargura na alma. As Escrituras condenam explicitamente esse comportamento: "Fiquem atentos para que não brote nenhuma raiz venenosa de amargura que cause perturbação, contaminando muitos" (Hb 12.15). Maus pensamentos querem se enraizar em nosso espírito como uma planta venenosa. Eles crescem e afetam não apenas a pessoa, mas aqueles com quem ela convive. Portanto, não regue pensamentos amargos. É tolice levar a sério aquilo para o qual deveríamos dar as costas. Muitas coisas genuinamente importantes perdem o valor em nosso coração quando as desprezamos, enquanto outras, sem a menor importância, aumentam porque lhes damos atenção. Por isso somos instruídos: "Livrem-se de toda amargura, raiva, ira, das palavras ásperas e da calúnia, e de todo tipo de maldade" (Ef 4.31).

COMO UM RELÂMPAGO PRENUNCIA O ESTRONDO DO TROVÃO, OS PENSAMENTOS CULTIVADOS FREQUENTEMENTE PRENUNCIAM AÇÕES NO MUNDO EXTERNO.

Como eliminar os pensamentos amargos? O passo primordial é identificar a fonte dos pensamentos ruins. Está escrito: "Cada coração conhece sua própria amargura" (Pv 14.10). Daí a importância de desenvolver o hábito do autoexame, como vimos no capítulo 4. Peça ajuda a Deus para identificar as fontes de suas frustrações e pensamentos negativos. Como foi que eles começaram? O que os desencadeou? Qual foi a circunstância? Se necessário anote suas preocupações. Conheço um homem que tem um hábito interessante: quando ele fica preocupado à noite, simplesmente pega papel e caneta e anota as preocupações. Depois ele faz uma oração entregando a situação diante de Deus, coloca o papel do lado do abajur e dorme tranquilo. Esse homem disse: "Quando transcrevo o problema para o papel, sinto a preocupação saindo da minha cabeça. Não há nada que eu possa fazer para resolver aquilo antes de dormir. Então eu deixo de lado e durmo. No outro dia, no momento adequado, eu enfrentarei novamente aquele problema". O próprio Jesus ensinou seus discípulos a limitarem suas preocupações: "Bastam para hoje os problemas deste dia" (Mt 6.34).

Quando pensamentos amargos caírem sobre você, corte-os subitamente. Não caia na arapuca de reprocessá-los. Não se permita ficar sozinho com eles. Leia um livro, dê uma volta, ligue para um amigo, assista a um filme, visite alguém. Se você trabalha em ambientes fechados e sofre com pensamentos negativos, procure deixar o máximo de luz natural entrar no ambiente. Abra as janelas e cortinas, procure trazer o mundo exterior para dentro. Não viva emparedado. Cultive plantas perto de você. Aprecie o pôr do sol. Caminhe ao ar livre e realize atividades que envolvam vários sentidos. Elimine os vícios de sua vida: substâncias como drogas e álcool podem contribuir para perpetuar os sentimentos de tristeza. Desenvolva novas habilidades. Faça algo completamente novo, algo que você literalmente nunca tenha feito, como praticar um esporte diferente, aprender técnicas culinárias, viajar e explorar novos destinos, ou simplesmente andar em uma parte de seu próprio bairro que você nunca percorreu.

A falta de novos estímulos — ver as mesmas paredes, as mesmas pessoas, as mesmas notícias repetidas vezes — pode ser um viveiro de pensamentos repetitivos, especialmente se você já estiver propenso a eles. Quando você faz exatamente as mesmas coisas dia após dia, você utiliza as mesmas partes de seu cérebro. Realizar novas atividades pode trazer o prazer emocional da recompensa e melhorar seu estado mental e bem-estar.

Em segundo lugar, *cultive pensamentos virtuosos*. Como disse John Stott: "Se quisermos viver corretamente, devemos pensar corretamente".[2] É necessário recuperar nosso território mental. Diante dos desafios avassaladores do dia a dia, a mente precisa de espaço para se reordenar, e isso não ocorre de modo espontâneo. Não basta vegetar em frente a uma televisão e achar que os pensamentos sairão reordenados e virtuosos. É preciso um esforço consciente para preencher o espaço mental com pensamentos restauradores.

Essa reconfiguração mental é também espiritual, conforme Romanos 8.6: "Portanto, permitir que a natureza humana controle a mente resulta em morte, mas permitir que o Espírito controle a mente resulta em vida e paz". Sem uma transformação da mente, os pensamentos serão atraídos para o que não presta, assim como as moscas são atraídas para um pedaço de carne podre. Baseada nesse princípio bíblico, a doutora Saundra Dalton-Smith fala sobre a importância de criarmos um "santuário mental", isto é, um lugar sagrado para a mente descansar. Dalton-Smith afirma, por exemplo, que uma maneira de criar um santuário mental é escolher um atributo de Deus e refletir nele durante o dia: "Deixe que cada atributo divino seja o lugar mental para o qual você retorna ao longo do dia".[3] A pessoa pode refletir sobre o amor de Deus, sua bondade, fidelidade, misericórdia, e assim por diante. O rei Davi tinha esse hábito: "Quando me deito, fico acordado pensando em ti, meditando a teu respeito a noite toda" (Sl 63.6).

Como vimos, o apóstolo Paulo insistiu nesse ponto em Filipenses 4.8, indicando quais devem ser as fibras de nossos pensamentos:

- Devemos pensar em tudo que é *verdadeiro*, e não em mentiras e sofismas perniciosos. O coração humano é enganoso (Jr 17.9), e o diabo é o pai da mentira (Jo 8.44). Quando algo dá errado ficamos tentados a pensar o pior, mas devemos nos concentrar naquilo que é verdadeiro. Questione-se: Este pensamento é verdadeiro? Ele está alinhado com a Palavra de Deus?
- Devemos pensar em tudo que é *nobre*, e não no que é desonroso e estúpido. Tantas pessoas adoecem emocionalmente porque enchem a mente de fofocas, bobagens e calúnias contra outras pessoas. Questione-se: Este pensamento é honesto? Sua intenção é genuína e honrosa?
- Devemos pensar em tudo que é *correto*, e não em injustiças. Podemos nos questionar: Este pensamento é correto à luz da Palavra de Deus? É justo e inocente?
- Devemos pensar em tudo que é *puro*, e não no que é contaminado e sujo do ponto de vista moral. Guarde a Palavra de Deus em seu coração e use-a como proteção contra pensamentos impuros (Sl 119.11). Questione-se: Este pensamento é puro e limpo?
- Devemos pensar em tudo que é *amável* e *admirável*, e não no que é desprezível e repugnante. Muitas pessoas não gostariam que seus pensamentos fossem expostos em um telão público. Contudo, Deus está constantemente ciente

SEM UMA
TRANSFORMAÇÃO
DA MENTE, OS
PENSAMENTOS
SERÃO ATRAÍDOS
PARA O QUE NÃO
PRESTA, ASSIM
COMO AS MOSCAS
SÃO ATRAÍDAS
PARA UM PEDAÇO
DE CARNE PODRE.

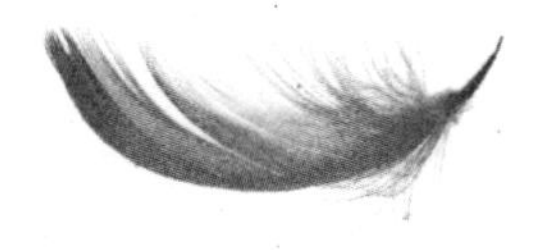

do que estamos pensando. Questione-se: Este pensamento é agradável a Deus?

- Devemos pensar em tudo que é *excelente* e *digno de louvor*. Questione-se: Existe alguma virtude neste pensamento? Ele nos leva a louvar a Deus?

Em terceiro lugar, para manter a higiene da mente, é preciso *educar a memória*. Infelizmente, a memória humana é traiçoeira: falha quando mais precisamos dela e funciona quando não deveria. Em sua obra *O futuro da nostalgia*, a teórica cultural Svetlava Boym afirma que a nostalgia nem sempre tem a ver com o passado, podendo ser tanto retrospectiva (olhando para trás) como prospectiva (olhando para a frente). Muitas vezes, as fantasias do passado determinadas pelas necessidades do presente têm um impacto direto sobre realidades futuras.[4] Em todo caso, há uma distorção da realidade na mente da pessoa. Convém educar a memória, pois ela pode proporcionar o céu ou o inferno. Paulo disse explicitamente: "concentro todos os meus esforços nisto: esquecendo-me do passado e olhando para o que está adiante, prossigo para o final da corrida" (Fp 3.13-14). Não devemos revirar o lixo do passado. Ninguém realiza progresso espiritual olhando para trás. Na estrada da vida, passado é contramão. Por isso Paulo enfatiza que vive para a frente, em direção ao alvo: Cristo.

A Bíblia ensina que o passado deve ser fonte de sabedoria, e não de tormento. Devemos trazer à memória apenas aquilo que traz esperança (Lm 3.21). Eu me lembro de uma ocasião, quando eu tinha oito anos, em que me sentia muito triste. A razão da minha tristeza eu não lembro, mas me recordo das palavras da minha mãe para me consolar. Ela disse: "Filho, não fique triste. Eu te amo muito. O dia em que você nasceu, eu fiquei tão feliz!". Ela me disse isso com tanta força e densidade que minha tristeza acabou na hora. No dia em que eu nasci, minha mãe ficou muito feliz. De algum modo, saber que minha mãe ficou feliz porque eu nasci foi consolador para mim. Até hoje, mantenho esse pensamento comigo. É uma das alegrias que trago à memória para ter esperança.

Portanto, recapitule as experiências felizes, as memórias agradáveis. A vida regularmente nos dá lições. Precisamos prestar atenção ao que Deus quer ensinar. Você não pode mudar o passado, mas Deus pode mudar a maneira como o passado afeta você.

7
celebre, ore e agradeça

A festa dá equilíbrio à vida. A vida em si é séria e exigente. A festa vem para descontrair o ambiente, deixar-nos mais soltos, mais autênticos.

LUIZ MIGUEL DUARTE[1]

Em uma das passagens psicologicamente mais potentes da Bíblia, Paulo afirma aos cristãos tessalonicenses: "Alegrem--se sempre. Orem continuamente. Deem graças em todas as circunstâncias, pois esta é a vontade de Deus para vocês em Cristo Jesus" (1Ts 5.16-18, NVI). São mencionadas três atitudes na vida cristã que permeiam tudo: alegrar-se, orar, agradecer.

O texto de Paulo é assertivo: devemos praticar essas ações continuamente, sem exceções. Não apenas em momentos agradáveis, mas em todos os momentos. E não se trata de orar ou expressar gratidão como meros atos formais, mas de desenvolver um espírito agradecido e confiante em Deus. Também não se trata de resignação estoica, mas de louvor cristão. Ou seja, não podemos controlar todas as circunstâncias, mas podemos responder a elas exercendo fé em Deus e reconhecendo sua soberania em cada detalhe de nossa vida. Podemos ser agradecidos em todas as circunstâncias porque tudo coopera para o bem daqueles que amam a Deus. Não importa a tribulação, ela é invariavelmente acompanhada da misericórdia divina. As circunstâncias mudam, Deus não.

Em primeiro lugar, precisamos nos *alegrar*. Para viver em integridade emocional e espiritual, precisamos aprender a valorizar os momentos de alegria. O pastor Elben César afirmou: "A alegria não é só uma opção de vida. É uma ordem de Deus ao seu povo".[2] A Bíblia ensina que há tempo de chorar, mas também há

O CRISTÃO NÃO DIZ SIMPLESMENTE "AMÉM" PARA AS SITUAÇÕES DA VIDA, MAS "ALELUIA" PARA DEUS APESAR DAS CIRCUNSTÂNCIAS.

tempo de rir, celebrar, festejar. A escritora e professora de teologia Beatrice Marovich examinou o fascínio que os animais fofos exercem sobre as pessoas. Muitas vezes, quando um bicho de estimação faz algo "fofo", os seres humanos param o que estão fazendo para simplesmente olhar, apreciar e rir. [3] De fato, ternura não é um luxo, mas uma necessidade humana.

Jesus ensinou seus discípulos a viverem com o espírito desarmado, a transitarem satisfeitos, sem serem pesados a ninguém. Há uma dimensão espiritual evidente na alegria cristã, pois é uma alegria dada pelo próprio Senhor Jesus através de sua Palavra: "Eu lhes disse estas coisas para que fiquem repletos da minha alegria. Sim, sua alegria transbordará!" (Jo 15.11). Essa alegria que vem do próprio Cristo é superlativa, sendo referida como uma "alegria inexprimível e gloriosa" (1Pe 1.8) que se desenvolve em nós através da ação do Espírito Santo (Gl 5.22).

Portanto, leve a alegria a sério. Cerque-se de pessoas felizes. Alegria gera mais alegria. A sabedoria dos Provérbios ensina: "Não se associe com quem vive de mau humor nem ande em companhia de quem facilmente se ira; do contrário, você acabará imitando essa conduta e cairá em armadilha mortal" (Pv 22.24-25, NVI). Ria de si mesmo e não se leve a sério demais. Saber rir de si é essencial para libertar-se de formas inadequadas de viver. O escritor Amos Oz, em seu célebre ensaio *Como curar um fanático*, afirma que a capacidade de levar a vida com maior senso de humor é uma marca das pessoas promotoras da paz. Por outro lado, os fanáticos são incapazes de rir de si mesmos. Nas palavras de Oz: "Humor é a aptidão para ver a si mesmo como os outros o veem, humor é a capacidade de perceber que não importa quão justo você é, e como as pessoas têm sido terrivelmente erradas em relação a você, há um certo aspecto da vida que é sempre um pouco engraçado".[4]

O senso de humor ajuda o indivíduo a entender seus próprios limites e ser menos crítico consigo mesmo, e abre portas para uma vida mais leve e inteligente. Por exemplo, em uma sociedade exibicionista, a escritora Camila Fremder, que se considera caseira e antissocial, desenvolveu um meio bem-humorado de se conectar com outras pessoas antissociais. Ela criou a Associação dos Sem Carisma, uma comunidade virtual que ultrapassou 20 mil pessoas em seus primeiros anos. Não há dúvidas que o bom humor é poderoso para a saúde mental e os relacionamentos.

Celebrar a vida é uma bênção. Para os que temem a Deus a vida é um presente, um dom. Aliás, "toda dádiva que é boa e perfeita vem do alto, do Pai que criou as luzes no céu" (Tg 1.17). Tudo que recebemos de bom vem de Deus. A vida pode ser precária, mas é preciosa. "Portanto", diz o autor de Eclesiastes, "coma sua comida com prazer e beba seu vinho com alegria, pois Deus se agrada disso. Vista roupas elegantes e use perfume. Viva alegremente com a mulher que você ama todos os dias desta vida" (Ec 9.7-9). A Bíblia fala sobre o prazer legítimo em estar vivo. Nessa passagem, em especial, vislumbramos o tato, o olfato, o paladar, a visão e a audição humana mobilizados em desfrutar a vida dada por Deus. O texto diz que "Deus se agrada disso", proclamando libertação aos infelizes. O contexto imediato é muito interessante, porque Eclesiastes aborda as perplexidades da vida. Ou seja, as lutas da vida não podem nos insensibilizar a ponto de perdermos a alegria.

No Novo Testamento, Paulo afirmou que aprendeu o segredo de viver contente e satisfeito em qualquer situação: tendo muito ou pouco, vivendo na fartura ou na escassez (Fp 4.11-13). Ele frisa que esse contentamento foi aprendido, isto é, não surgiu automaticamente, espontaneamente. Paulo manteve o coração aberto e ensinável a fim de poder extrair lições de suas experiências de vida, tanto as boas como as ruins. Viver é o único jeito de amadurecer. Em sua trajetória, Paulo descobriu que o contentamento estava em Cristo, não em sua cidadania romana, nem na educação religiosa que havia recebido, nem em seu trabalho como fazedor de tendas. A força transformadora está em Jesus.

Um dia, um homem triste afirmou: "Estou encurvado e atormentado; entristecido, ando o dia todo de um lado para o outro" (Sl 38.6). Mas em Cristo nossa vida não deve ser uma lamúria crônica. Lembre-se que o cristão, mesmo abatido, não está destruído (2Co 4.9). As Escrituras ensinam diversas vezes que os filhos de Deus devem andar de cabeça erguida, e podemos destacar três razões:

- Porque Deus nos libertou no passado: "Eu sou o SENHOR, o Deus de vocês, que os tirou da terra do Egito para que não mais fossem escravos deles; quebrei as traves do jugo que os prendia e os fiz andar de cabeça erguida" (Lv 26.13, NVI).
- Porque Deus nos protege no presente: "Mas tu, SENHOR, és o escudo que me protege; és a minha glória e me fazes andar de cabeça erguida" (Sl 3.3, NVI)
- Porque Deus nos salvará por completo no futuro: "Quando começarem a acontecer estas coisas, levantem-se e ergam a cabeça, porque estará próxima a redenção de vocês" (Lc 21.28, NVI).

O salmo 150 nos convida a louvar a Deus com música e alegria: "Louvem-no com o toque da trombeta, louvem-no com a lira e a harpa! Louvem-no com tamborins e danças, louvem-no com instrumentos de cordas e flautas! Louvem-no com o som dos címbalos, louvem-no com címbalos ressonantes!" (Sl 150.3-5). O biblista Derek Kidner fez uma interessante observação sobre esses instrumentos musicais, afirmando que vários aspectos da vida de Israel estão em vista aqui: a trombeta era usada em grandes reuniões

O SENSO DE HUMOR AJUDA O INDIVÍDUO A ENTENDER SEUS PRÓPRIOS LIMITES E SER MENOS CRÍTICO CONSIGO MESMO, E ABRE PORTAS PARA UMA VIDA MAIS LEVE E INTELIGENTE.

nacionais e sagradas (Lv 25.9); tamborins e danças eram comuns nas comemorações de conquistas (Sl 81.2; 149.3); as flautas eram os instrumentos do dia a dia (Gn 4.21; Jo 21.12; Jó 30.31).[5] Ou seja, esses instrumentos também apontam para momentos diferentes da vida: assembleias solenes, momentos triviais, conquistas, derrotas. É assim que devemos adorar a Deus: em todo tempo, com toda nossa firmeza.

Muitas vezes somos resolutos para aquilo que é insignificante. Levamos nossos gostos e opiniões pessoais às últimas consequências. Agimos de modo intransigente com nossas visões políticas, culturais, esportivas, e até mesmos em nossos caprichos. E, muitas vezes, não honramos a Deus assim. Perdemos oportunidades de adorar nosso amado Jesus com nossa resiliência, nossa garra, nossa perseverança. Desistimos fácil, murmuramos instantaneamente, praguejamos em vez de adorar. Jesus ensinou que mesmo em meio às perseguições injustas podemos nos alegrar: "Alegrem-se e exultem, porque uma grande recompensa os espera no céu" (Mt 5.12).

Em segundo lugar, precisamos *orar continuamente*. A oração contínua evita o esgotamento espiritual, pois mantém a alma aquecida pela graça de Deus. A Bíblia nos incentiva a substituir a ansiedade pela oração: "Não vivam preocupados com coisa alguma; em vez disso orem a Deus pedindo aquilo de que precisam e agradecendo-lhe por tudo que ele já fez" (Fp 4.6). As ansiedades da alma e as instabilidades do mundo devem atiçar em nós um maior desejo de Deus. Vimos no capítulo 3 que Jesus manteve uma vida de oração assídua. Ele orava no silêncio da noite, nas montanhas, nos desertos, nos momentos difíceis. Os Evangelhos registram que Jesus orou às vésperas da crucificação. Aprendemos, desse modo, a importância de atravessar os momentos dramáticos e dolorosos da vida em oração diante de Deus. A oração estabelece as bases para a paz em nosso coração.

Muitas vezes é rara a paz na vida da pessoa que não aprende a se encontrar com Deus em oração, na própria alma.

Em nossas orações também podemos interceder mais por outras pessoas, isto é, colocar os pedidos de orações de outros diante de Deus. O experiente e piedoso missionário Wesley L. Duewel nos encoraja a montarmos listas de oração e intercessão. Ele ensinou as seguintes lições práticas:

- *Registre as listas de oração num pequeno caderno.* Esse caderno poderá servir como um diário de oração e auxiliará em seu momento diário à sós com Deus.
- *Utilize uma lista portátil.* Uma lista portátil pode ser guardada no bolso de uma calça ou armazenada no telefone celular. Aproveite os momentos vagos durante o dia para meditar em espírito de oração, usando os nomes e itens da lista.
- *Espalhe listas de oração pela casa.* Coloque uma lista curta na pia da cozinha onde possa lê-la enquanto lava os pratos, no espelho do banheiro para interceder enquanto se barbeia, e assim por diante.
- *Use os incidentes do dia como uma lista de oração não escrita.* Quando passar por uma escola, interceda pelos alunos. Quando esperar em uma fila de banco, interceda pelos funcionários do lugar. E assim sucessivamente. Ore pelas pessoas que ligarem para você. Ore a partir de notícias dos jornais. Ore pelas pessoas que você encontrar durante o dia. Não visite Deus ocasionalmente, habite nele através da oração.[6]

Em terceiro lugar, precisamos *dar graças em todas as circunstâncias*. O Novo Testamento associa a ingratidão com a essência da idolatria nos tempos passados (Rm 1.21) e com as marcas da apostasia dos últimos dias (2Tm 3.1-2). Os ingratos têm dificuldade em reconhecer que a vida lhes foi doada, tornando-se pessoas ranzinzas, murmuradoras e arrogantes. Em contraposição, a gratidão é uma característica distintiva das pessoas alcançadas pela graça salvadora de Jesus Cristo. Os agradecidos reconhecem a vida como uma bênção de Deus, um dom recebido. Há uma inversão completa na perspectiva. Desse modo, aprendemos que a gratidão muda tudo. Quem reclama da vida continuamente não arruína apenas a própria felicidade, mas também a felicidade dos outros. Por isso está escrito: "Façam tudo sem queixas nem discussões" (Fp 2.14). A gratidão opera em nós um novo modo de viver: de dentro para fora. O que acontece fora não tem o controle final sobre nossa vida. Somente Jesus é o Senhor de nosso coração.

O apóstolo Paulo é um exemplo de pessoa que atravessou essa experiência regeneradora. Antes de ser transformado por Jesus, ele se achava justo, era cheio de si e se sentia no direito de perseguir e destruir quem pensasse diferente. De tão agressivo, "respirava ameaças de morte contra os discípulos do Senhor" (At 9.1, NVI). Contudo, depois de ser transformado, Paulo referiu-se a si próprio como o pior dos pecadores (1Tm 1.15), e passou a considerar "tudo como perda, comparado com a suprema grandeza do conhecimento de Cristo Jesus" (Fp 3.8, NVI). Se antes ele respirava violência, agora respira gratidão. A transformação de Paulo é notória: ele menciona seu coração agradecido diversas vezes no corpo de suas epístolas (Rm 1.8; 1Co 1.4; Ef 1.16; Fp 1.3; Cl 1.3; Fm 1.4).

A obra da regeneração na vida dos cristãos abre a possibilidade de uma nova atitude perante a existência, uma postura agradecida. De fato, tudo na vida cristã é pela graça, do início ao fim. Como afirmou Thomas Brooks: "A graça transforma leões em cordeiros, lobos em ovelhas, monstros em homens e homens em anjos".

8

não comente todas as notícias do mundo

> No futuro o homem vai falar com as paredes.
> E, o pior, elas irão entendê-lo.
>
> JEAN-PAUL JACOB[1]

Na aurora do século 21, a internet conectou as pessoas de uma maneira sem precedentes. A despeito dos benefícios inegáveis, essa hiperconexão humana trouxe desafios e malefícios. Neste capítulo abordaremos um desafio intenso: a sobrecarga cognitiva.

Vivemos em um mundo de pessoas com pensamentos confusos, acelerados, ansiosos, ávidas pelas últimas notícias. Fala-se sobre a "exaustão das senhas" e o "caos da identidade" ocasionados pelo número extenso e crescente de dispositivos, aplicativos e perfis on-line que precisamos administrar. Contudo, embora os apetrechos tecnológicos sejam uma novidade, a atitude afoita por estar conectado não é propriamente nova. A Bíblia apresenta repetidas orientações para uma postura sábia e sóbria diante de muitas notícias. Em Eclesiastes, por exemplo, encontramos a admoestação: "Não escute a conversa alheia às escondidas; pode ser que ouça seu servo falar mal a seu respeito. Pois você sabe que muitas vezes você mesmo falou mal de outros" (Ec 7.21-22). Ou seja, as Escrituras ensinam que é uma atitude inteligente viver a própria vida, ocupar o tempo com atividades nobres e evitar a atitude fofoqueira e mexeriqueira. Criar perfis e avatares digitais falsos, com a finalidade de "fuçar" a vida dos outros, não é prudente. Além da irreparável perda de tempo, o bisbilhoteiro fica vulnerável a toda sorte de informação inútil e nociva.

A sanha por palpitar sobre todos os assuntos e notícias também é tola, conforme alertam as Escrituras: "Cuide da língua e fique de boca fechada, e você não se meterá em apuros" (Pv 21.23). O âmbito político, em especial, tornou-se caracterizado pelo falatório digital ininterrupto. É interessante observar que, já no ano de 1984, o professor de teoria jurídica e política Norberto Bobbio refletia sobre a possibilidade de a informática alterar a estrutura das sociedades democrático-representativas. Na época, ele chamava isso de "hipótese da futura computadorcracia", que seria a possibilidade do exercício da democracia direta pelos cidadãos através de votos informatizados. A questão que se levantou foi: o avanço da tecnologia seria capaz de criar uma "democracia informatizada" na qual as pessoas não precisariam mais de representantes políticos? Bobbio considerou esse cenário impraticável, pois, a julgar pelas leis promulgadas a cada ano, os cidadãos seriam convocados a exprimir o próprio voto ao menos uma vez por dia. Mais do que isso, segundo Bobbio, o excesso de participação poderia ter como efeito a saturação da política e o aumento da apatia eleitoral.[2] Em outras palavras, o professor se opôs ao "cidadão total", termo depreciativo proposto por Ralf Dahrendorf para descrever o indivíduo saturado de militância política, incapaz de fazer outra coisa na vida.[3]

Hoje as redes sociais, os smartphones e as conexões wi-fi integram concretamente o dia a dia de bilhões de pessoas ao redor do mundo. De igual modo, a participação política via digital já é uma realidade. Podemos não ter a possibilidade de votar diretamente em tudo, mas podemos opinar sobre tudo. A ação política já ocorre de múltiplas formas novas: parlamentares que utilizam aplicativos para consultar seus eleitores em tempo real; chefes de Estado que trocam ofensas pelas redes sociais; milícias digitais robotizadas que aniquilam reputações políticas, e assim por diante. Desse modo, os efeitos das novas tecnologias se revelam mistos ao senso comum: há avanços, como as novas possibilidades de fiscalização e transparência dos atos do poder, mas também há retrocessos, como a espetacularização dos discursos sensacionalistas.

O advento das novas mídias estabeleceu uma lógica de curto prazo, corriqueira e banal, dando a falsa impressão de que é possível resolver questões políticas complexas sem balizas institucionais, com meras frases de efeito. De fato, em nossa sociedade do espetáculo, é enorme a quantidade dos que aspiram oferecer surpresas diárias com polêmicas, escândalos, falsos dilemas, tudo em busca da atenção dos outros. Especialmente no campo político o voluntarismo destituído de contrapesos institucionais traz consequências desastrosas, como revelam, em especial, as experiências totalitárias do século passado. O saneamento da sociedade parte da constatação e do enfrentamento da realidade, não da alienação e do improviso.

Inúmeros estudos mostram os efeitos devastadores da verborragia nas mídias digitais para a saúde mental.[4] O apóstolo Paulo destacou que certos excessos no falar também são danosos para a vida espiritual. É interessante perceber que o apóstolo abre e fecha sua primeira carta a Timóteo com instruções sobre não entrar em discussões estúpidas: "pedi a você que [...] advertisse certas pessoas de que não ensinassem coisas contrárias à verdade, nem desperdiçassem tempo com discussões intermináveis sobre mitos e genealogias, que só levam a especulações sem sentido em vez de promover o propósito de Deus" (1Tm 1.3-4); "Evite discussões profanas e tolas com aqueles que se opõem a você com suposto conhecimento. Alguns se desviaram da fé por seguirem essas tolices" (1Tm 6.20-21). Paulo foi intransigente nesse ponto.

O cristão não está debaixo da lei, mas debaixo da graça (Rm 6.14).[5] Como pessoas livres em Cristo Jesus somos chamados

"CIDADÃO TOTAL" É O TERMO DEPRECIATIVO PROPOSTO POR RALF DAHRENDORF PARA DESCREVER O INDIVÍDUO SATURADO DE MILITÂNCIA POLÍTICA, INCAPAZ DE FAZER OUTRA COISA NA VIDA.

a viver com sabedoria, discernimento, justiça e amor conforme o evangelho. Na prática isso apresenta desafios específicos. Ao abordar essas questões em sua primeira carta aos Coríntios, o apóstolo Paulo apresenta alguns princípios elementares. Em nossa participação nas redes sociais podemos, então, fazer algumas perguntas a nós mesmos, em espírito de oração diante de Deus:

- Isto está me escravizando? "*'Tudo me é permitido', mas nem tudo convém. 'Tudo me é permitido', mas eu não deixarei que nada me domine*" (1Co 6.12, NVI). Uma postura sóbria nas redes sociais inclui não ser escravizado por essas mídias e pela opinião alheia. O vício virtual já é um traço da juventude contemporânea, com seu comportamento ocioso e ansioso. Umberto Galimberti observou em seu estudo sobre o niilismo da juventude contemporânea o "culto ao sincero" que existe nas redes sociais, como se a exposição perene da intimidade e de todas as suas opiniões sobre todos os assuntos funcionasse como uma prova de sinceridade e inocência.[6] Debaixo desse verniz de "sincericismo" não está nada mais que alguém escravizado a si mesmo e à opinião dos outros.
- Isto edifica? "*'Tudo é permitido', mas nem tudo convém. 'Tudo é permitido', mas nem tudo edifica*" (1Co 10.23, NVI). Nossas postagens são úteis de algum modo? Ou apenas aumentamos as fileiras dos disseminadores do pecado, os propagadores do caos? O cristão é chamado nas Escrituras de "ministro da reconciliação" e "cooperador de Deus". Não saia nenhum *post* torpe de nossos dedos. Qual a utilidade desta publicação? Há algum valor nesta postagem ou ela simplesmente aumentará o lixo virtual e a sobrecarga de informações supérfluas na rede? A Bíblia ensina

que a resposta calma desvia a fúria, mas a palavra ríspida desperta a ira. A língua dos sábios torna atraente o conhecimento, mas a boca dos tolos derrama insensatez (Pv 15.1-4).

- Isto exalta Deus? "*Assim, quer vocês comam, bebam ou façam qualquer outra coisa, façam tudo para a glória de Deus*" (1Co 10.31, NVI). De que modo a glória de Deus pode ser vista através desta postagem? Minha motivação é glorificar a Deus ou a mim mesmo? Nas redes sociais, caracterizadas pela legitimação da *selfie*, do autorretrato, da postagem de si mesmo, existe a óbvia e autoevidente tentação narcisista, essência do pecado: o orgulho, a ostentação de si mesmo, a alienação de Deus. O cristão, sobretudo, deve manter os olhos em Cristo, autor e consumador de nossa fé. Deus é aquele que sonda e conhece os corações.
- Isto é um bom exemplo? "*Não se tornem motivo de tropeço, nem para judeus, nem para gregos, nem para a igreja de Deus. Também eu procuro agradar a todos, de todas as formas. Porque não estou procurando o meu próprio bem, mas o bem de muitos, para que sejam salvos*" (1Co 10.32-33, NVI). Qual o testemunho desse comportamento perante as pessoas? Estarei afastando ou aproximando as pessoas de Deus?

Em muitos casos é importante simplesmente nos desconectarmos das redes. As mídias sociais podem se tornar gomas de mascar para os olhos. Muita estimulação externa obstrui os pensamentos e atrapalha o bem-estar emocional. Quanto mais conectados estivermos, mais inquietos podemos ficar.

Portanto, procure definir um horário todos os dias no qual você se desconecta completamente da tecnologia. É importante ter espaços e momentos "zero eletrônicos": sem internet, sem videogame, sem televisão, sem e-mail, sem mídias digitais. Sua vida não acabará se você "perder" as postagens dos outros. Você não precisa ser um escravo da tecnologia. Evite responder instantaneamente a todo alerta de mensagem que receber em seu telefone. Evite o hábito mórbido de "maratonar" séries televisivas ininterruptamente. Uma coisa é descansar nas férias assistindo a algo divertido, outra bem diferente é tornar-se um alienado em série.[7] Leia bons livros, interaja com pessoas que lhe trazem alegria, pratique esportes, passe mais tempo com Deus. A realidade virtual não substitui a realidade concreta da vida como um todo e de sua dimensão comunitária na igreja. Na era digital não podemos deixar de usar nossas digitais: tocar, abraçar, chorar e rir uns com os outros. A realidade do culto coletivo, do pão e vinho compartilhado no seio de uma comunidade humana feita de carne e sangue, não pode ser substituída pelas redes sociais. Jesus não foi digitalizado, nem morreu em pixels. Ele encarnou, viveu entre nós, morreu na cruz do Calvário e ressuscitou no terceiro dia.

9

nutra a paciência

> Assim como a paciência provém de Deus e nele é encontrada, a adversária dela [a impaciência] provém de nosso adversário [o diabo].
>
> **TERTULIANO**[1]

Paciência é o nome de uma planta (*Rumex patientia*), o nome de um jogo de cartas e uma virtude: suportar os dissabores da vida sem irritação contínua ou ansiedade exagerada. Paciência é tanto tolerância diante das falhas alheias como a tranquila espera por algum acontecimento que venha alterar as circunstâncias incômodas. Paciência não se confunde, portanto, com desistência ou mera resignação. Aliás, em português o termo "paciente" também é aplicado ao sujeito enfermo que passa por um tratamento medicinal, esperando a recuperação. Assim, paciência carrega a ideia de suportar tratamentos e circunstâncias tratadoras sem queixume. O amor é paciente. Por isso, está escrito: "Sejam pacientes uns com os outros em amor" (Ef 4.2, NVI). Na Bíblia, paciência é força. A impaciência, por outro lado, só causa confusão.

O escritor Franz Kafka afirmou em célebre aforismo:

> Há dois pecados capitais, dos quais derivam todos os outros: impaciência e indolência. Por impaciência foram os humanos expulsos do Paraíso; por indolência não regressaram. Entretanto, talvez haja somente um pecado capital: a impaciência. Por impaciência foram expulsos, por impaciência não regressaram.[2]

De fato, impaciência e irritabilidade constantes são extremamente danosas. Infelizmente há pessoas de pavio curto, que

PACIÊNCIA

É FORÇA.

explodem à toa, prejudicando-se e aos outros. Diante dos problemas da vida, muitos simplesmente deixam a raiva expandir dentro de si. O salmista condena essa atitude, dizendo: "Deixe a ira de lado! Não se enfureça! Não perca a calma; isso só lhe trará prejuízo" (Sl 37.8).

Podemos citar, pelo menos, quatro grandes prejuízos que a ira pode causar em nós. Em primeiro lugar, a ira abre portas para realizarmos tolices: "Quem se ira com facilidade faz coisas tolas; quem trama o mal é odiado" (Pv 14.17). Pessoas irritadiças vivem falando e fazendo o que não deveriam. A raiva impede a pessoa de ver as situações com a nitidez necessária. O ímpeto da ira é destrutivo, ao invés de construtivo. Os irritadiços se queimam por dentro e torram a paciência dos outros, causando feridas em todos.

Em segundo lugar, a ira é um atalho para a violência. Gênesis afirma que "Caim se enfureceu e ficou transtornado" e depois "atacou seu irmão Abel e o matou" (Gn 4.5,8). A maior porcentagem de pessoas condenadas por assassinato não tem histórico criminal. A ira é traiçoeira e, caso não seja contida, pode ocasionar todo tipo de agressividade. O Senhor Jesus advertiu seus discípulos: alimentar ira no coração já é uma atitude homicida passível do julgamento divino (Mt 5.21-22).

Em terceiro lugar, a ira dá oportunidades para o diabo. O apóstolo Paulo foi enfático: "Não pequem ao permitir que a ira os controle. Acalmem a ira antes que o sol se ponha, pois ela cria oportunidades para o diabo" (Ef 4.26-27). Ou seja, se não soubermos canalizar apropriadamente os sentimentos de indignação, a tendência é que eles acabem nos vencendo. O diabo toma conta dos irritados. Um provérbio popular afirma: "A ira começa com insensatez e termina com arrependimento".[3]

Em quarto lugar, "a ira humana não produz a justiça divina" (Tg 1.20). Em outras palavras, perder a paciência, ainda que por pouco tempo, pode gerar efeitos devastadores. Há pessoas que dizem perder a paciência, mas recuperar o controle um minuto depois. O problema é que em apenas um minuto a bomba atômica explodiu em Hiroshima, e veja o estrago que ela causou. Não à toa, o desenvolvimento de um caráter estável, paciente, perseverante é muito valorizado pelas Escrituras: "É melhor ser paciente que poderoso; é melhor ter autocontrole que conquistar uma cidade" (Pv 16.32). Na lógica bíblica, a maior demonstração de poder está em dominar a si e não aos outros.

O Novo Testamento afirma explicitamente que paciência e autocontrole são também atributos espirituais, mencionando-os como aspectos do fruto do Espírito (Gl 5.23). Isto é, ter a capacidade de controlar os próprios impulsos é uma das graças de Deus na vida de uma pessoa, uma competência que floresce na vida da pessoa cheia do Espírito Santo. Quando estamos cheios do Espírito, ele nos transforma e governa nossas escolhas. Um exemplo de mudança pessoal nesse sentido é Simão Pedro, discípulo de Jesus. Simão é descrito nas páginas dos Evangelhos como alguém impulsivo, intenso e, muitas vezes, inconsequente. Quando Jesus lavou os pés de seus discípulos, Simão disse: "Não; nunca lavarás os meus pés!" (Jo 13.8, NVI). Jesus, porém, explicou que caso não lavasse seus pés, Simão não teria parte com ele. O discípulo respondeu: "Senhor, então lave também minhas mãos e minha cabeça, e não somente os pés!" (Jo 13.9). É curioso como Pedro mudou do "não, nunca lavarás!" para o "lave tudo agora!". Ele foi do oito ao oitenta. Na sequência dos acontecimentos, a impulsividade de Pedro também é vista na declaração: "Pode ser que os outros o abandonem, mas eu jamais o abandonarei" (Mt 26.33). O final da história é bem conhecido: antes de o galo cantar, Pedro negou Jesus três vezes. Contudo, a Bíblia registra a profunda conversão de Pedro e o desenvolvimento de sua liderança sólida, madura, paciente e perseverante. Se até a instabilidade petrina foi sanada, há esperança para todos nós.

Como podemos nutrir a paciência e o domínio próprio? Em primeiro lugar, *não podemos alimentar a ira*. "O tolo mostra toda a sua ira, mas o sábio a controla em silêncio" (Pv 29.11). A ira leva a pessoa a falar coisas irrefletidas, sem sentido, nas quais sequer acredita. O filósofo Aristóteles, por exemplo, dedicou o segundo livro de sua *Retórica* à análise das emoções "que tanto alteram os homens como afetam seus julgamentos".[4]

É crucial, portanto, desenvolver a capacidade de frear o sentimento expansivo da raiva. Há diversas maneiras de fazer isso. Por exemplo, um casal deve saber terminar uma desavença, assim como amigos precisam modular os ânimos em uma discussão. Outra atitude prudente: perceber quando se eleva o tom de voz em uma discussão. Nada abaixa mais uma conversa do que levantar a voz descontroladamente. O ódio deforma o rosto — mesmo o ódio contra a sordidez. O grito deixa rouca a voz — mesmo o grito contra a injustiça. Vale ainda destacar a importância de não responder a uma situação tensa enquanto estiver com raiva. Somos senhores das palavras que guardamos, mas escravos daquelas que proferimos. Não se esqueça que as palavras ditas são sempre irreparáveis, ou seja, uma vez ditas não podem ser "desditas". Até se pode pedir perdão e se retratar do que foi dito, mas é impossível "desdizer" algo. É sábio o pensamento atribuído a Thomas Jefferson: "Se estiver com raiva, conte até dez antes de falar; se estiver com muita raiva, conte até cem". Definitivamente, aprender a cortar o fluxo da raiva o quanto antes é muito benéfico para quem quer desenvolver controle verbal e emocional.

Em segundo lugar, é necessário *aprender a conviver com desconfortos*. "Sejam pacientes nas dificuldades e não parem de orar" (Rm 12.12). Não devemos apenas colocar um limite à nossa raiva, mas também crucificar nossa ferocidade através da entrega total da alma a Deus. Nossos sentimentos desagradáveis podem ser colocados diante de Deus em oração. Mais uma vez percebemos a importância da oração para a restauração emocional. Passar tempo diante de Deus remodela nossa percepção das situações. Isso é muito importante: viver com paciência implica não ter expectativas imaturas e irrealistas. Jesus explicou que a vida nesta terra certamente trará desconfortos (Jo 16.33). Na comunhão com Deus somos fortalecidos espiritualmente. Entramos no quarto de oração como gatos e saímos como leões. Os desconfortos podem ser pontos de partida para grandes mudanças:

- Podemos relembrar o que é mais importante em nossa vida.
- Podemos descobrir um traço de caráter ímpio que precisa ser removido de nós.
- Podemos aprender novas habilidades.
- Podemos sair da mesmice.
- Podemos olhar além de nós mesmos e ver a necessidade de outras pessoas.
- Podemos assumir responsabilidades muito maiores.

Em terceiro lugar, é importante *esquecer as ofensas*. Vivemos em uma sociedade agressiva, repleta de pessoas amarguradas que vomitam suas frustrações umas nas outras. No dia a dia precisamos lidar com pessoas odientas, rubras de raiva, habituadas a ofender. Dois provérbios bíblicos são muito instrutivos a esse respeito: "O insensato se ira com facilidade, mas o sábio ignora a ofensa" (Pv 12.16); e "O sensato não perde a calma, mas conquista respeito ao ignorar as ofensas" (Pv 19.11). Não vale a pena ruminar ofensas lançadas por pessoas maldosas, nem criar uma tempestade em torno de si para resolver querelas interpessoais.

Portanto, não se concentre doentiamente em afrontas sofridas. Pare de franzir a testa. A sensação de valentia pode agradar nosso ego, mas é contraproducente na prática. O orgulho nos aconselha a revidar, mas a sabedoria divina a perdoar. A vingança nos coloca no nível moral do ofensor maldoso; o perdão, acima dele. A vingança é a maneira de Satanás destruir o inocente e o ofensor. O caminho do perdão é mais inteligente em todos os aspectos.

A Bíblia proclama a disposição de Deus em perdoar pecados através do sacrifício de Jesus na cruz. Quando somos alcançados pela graça perdoadora e salvadora de Deus surge em nós a capacidade de ignorar as ofensas, perdoar as pessoas desleais e maldosas, e seguir em frente. Por meio dessas atitudes desenvolvemos nossa fé em Deus e em sua soberania. O rei Davi demonstrou grande sabedoria ao dizer no salmo 37: "Não se preocupe com os perversos, nem tenha inveja dos que praticam o mal. Pois, como o capim, logo secarão e, como a grama verde, logo murcharão" (Sl 37.1-2). Em vez de remoer ofensas, devemos avançar na promoção do bem: "Confie no Senhor e faça o bem, e você viverá seguro na terra e prosperará" (Sl 37.3).

Em quarto lugar, precisamos *aprender a esperar*. Vivemos em uma sociedade imediatista, na qual as pessoas têm alergia à espera. Tudo tem de ser rápido e imediato. Em sua obra *Sobre a espera*, Harold Schweizer examinou como o tédio da espera foi acentuado com a tecnologia moderna.[5] O frenesi do imediatismo e da aceleração dos ritmos de vida ocasionou em meados dos anos 2000 o surgimento de diversas iniciativas ao redor do mundo defendendo um ritmo de vida mais lento e calmo, como, por exemplo, os "pais sem pressa", os "leitores sem pressa", e até os "viajantes sem pressa". Todas essas iniciativas foram englobadas na expressão *movimento slow* ou *movimento sem pressa*.[6]

A PACIÊNCIA

DA OSTRA É

NECESSÁRIA

SE QUEREMOS

PRODUZIR PÉROLAS

PRECIOSAS.

Na Bíblia, a associação entre paciência, espera e fé é muito forte: "Aquiete-se na presença do SENHOR, espere nele com paciência" (Sl 37.7). Para cultivar a virtude da paciência precisamos aprender que nem tudo na vida pode ser feito depressa. A paciência da ostra é necessária se queremos produzir pérolas preciosas. Assim como as raízes de uma árvore frondosa se desenvolvem silenciosamente no solo, o hábito de esperar fortalece nossas competências emocionais e nos torna pessoas mais estáveis e amadurecidas. Não podemos esquecer que entre a concepção e o nascimento de um ser humano existe o período de gestação. A paciência nos torna pessoas capazes de gestar vida. A carta de Tiago apresenta o exemplo do agricultor: "Vejam como os lavradores esperam pacientemente as chuvas do outono e da primavera. Com grande expectativa aguardam o amadurecimento de sua preciosa colheita. Sejam também pacientes" (Tg 5.7-8). Esperar às vezes é difícil: o médico que se atrasou; o engarrafamento no trânsito; a lentidão de processamento do computador; a tempestade que precisa acalmar para prosseguimos nosso trajeto. Mas, como sempre me diz meu amigo cantor e compositor Marcos Almeida, "esperar é caminhar". A capacidade de esperar tempera as ações e amadurece os pensamentos.

Por fim, podemos refletir sobre exemplos de paciência. Um dos primeiros mestres da igreja que refletiu e escreveu sobre o assunto foi Tertuliano, autor de *Sobre a paciência.* Embora esse texto tenha sido escrito em circunstâncias específicas de perseguição e martírio cristão, ele apresenta três exemplos bíblicos de paciência de um modo geral: Deus Pai, que é paciente com nossa desobediência; Cristo, que suporta nossas ofensas e nos salva através de sua morte e ressurreição; e Jó, que tolerou sofrimentos sem blasfemar contra Deus. Tertuliano seguiu o conselho de Tiago para refletirmos sobre a paciência de Jó: "Tomem como exemplo de paciência no sofrimento os profetas que falaram em nome do Senhor. Consideramos felizes aqueles que permanecem firmes em meio à aflição. Vocês ouviram falar de Jó, um homem de muita perseverança. Sabem como, no final, o Senhor foi bondoso com ele, pois o Senhor é cheio de compaixão e misericórdia" (Tg 5.10-11).

De fato, o livro de Jó é um tesouro literário e espiritual. O poeta francês Victor Hugo teria dito que "o livro de Jó é talvez a maior obra-prima do espírito humano".[7] A história de Jó é desafiadora: ele era um homem próspero no deserto, mas perdeu tudo depois que foi atacado por Satanás. Adoeceu, perdeu seus filhos, suas propriedades e se tornou um pária na comunidade. Um amplo debate público especulou as causas da desgraça de Jó: estaria Deus punindo-o por seus pecados? Contudo, o próprio Deus respondeu a seu servo, redirecionando os questionamentos para outra perspectiva: a soberania, a sabedoria e a misericórdia divinas estão acima e além das limitações humanas.

As lutas que enfrentamos na vida não podem ser reduzidas a fórmulas prontas. Jó não recebeu explicações sobre as causas de seu sofrimento, mas recebeu algo muito maior e mais poderoso: o conhecimento sobre quem é seu Deus. Por isso, Jó disse: "Antes, eu só te conhecia de ouvir falar; agora, eu te vi com meus próprios olhos" (Jó 42.5). Como se não bastasse, Deus ainda restaurou a sorte de Jó e o abençoou na segunda parte de sua vida ainda mais que na primeira.

10
desenvolva relacionamentos significativos

É melhor dividir a picanha do que
comer o fígado sozinho.

PARA-CHOQUE DE CAMINHÃO NO BRASIL

Tudo na vida gira em torno dos relacionamentos. Uma passagem bíblica central sobre esse tema é Eclesiastes 4.7-12. O texto afirma sem rodeios que viver apenas para trabalhar e obter riqueza é algo completamente sem sentido. A certa altura, a pessoa solitária se questionará: "Para quem trabalho? Por que deixo de aproveitar tantos prazeres?" (Ec 4.8). A vida sem amizades é uma vida insípida, insossa e insensata. Por outro lado, "é melhor serem dois que um" (Ec 4.9).

Foi o próprio Deus quem nos criou como seres relacionais. Todos nós precisamos de alguém que seja nosso aliado. Eclesiastes apresenta três bênçãos provenientes das amizades a partir de uma imagem concreta: uma longa viagem. A primeira bênção das amizades é o suporte: "Se um cair, o outro o ajuda a levantar-se. Mas quem cai sem ter quem o ajude está em sérios apuros" (Ec 4.10). Nas estradas da vida existem buracos, imprevistos, eventualidades. Há quedas literais e figuradas. Quando temos amigos, temos um suporte nas situações difíceis.

A segunda bênção das amizades é assim descrita: "Duas pessoas que se deitam juntas aquecem uma à outra. Mas como fazer para se aquecer sozinho?" (Ec 4.11). Para enfrentar o desafio das noites frias, dois amigos podem se unir. Perceba que no primeiro desafio, um amigo caiu e o outro ajudou. Nesse segundo, ambos estão enfrentando juntos o frio.

A terceira bênção das amizades é a proteção: "Sozinha, a pessoa corre o risco de ser atacada e vencida, mas duas pessoas juntas podem se defender melhor. Se houver três, melhor ainda, pois uma corda trançada com três fios não arrebenta facilmente" (Ec 4.12). Na vida existem assaltantes covardes, mas também há amigos protetores. Nosso amor pelos outros nos leva para a frente.

Amizades autênticas são desenvolvidas, não compradas. Há uma série de atitudes que podemos tomar para desenvolvermos relacionamentos significativos. Em primeiro lugar, devemos *abandonar a insensatez de uma vida individualista.* "Quem vive isolado se preocupa apenas consigo mesmo e rejeita todo bom senso" (Pv 18.1). Vivemos em uma sociedade excludente, segregada e narcisista. Circulam relatos na internet de pessoas que até mesmo "casam consigo mesmas", realizando cerimônia e tudo o mais. Há pessoas que escrevem livros e os dedicam a si próprias. Neste mundo de gente ensimesmada é comum ouvirmos coisas como "você para mim é problema seu". De fato, há muitos falsos amigos que, no dizer de Benjamin Franklin, são como a sombra: nos acompanham enquanto estamos na luz, mas nos abandonam nos dias difíceis de trevas.

Infelizmente, muitas pessoas feridas acabam por perder a vontade de construir amizades. Contudo, as más companhias não representam todas as pessoas. Não deixe que traumas em relacionamentos do passado prejudiquem suas amizades no presente e no futuro. Não fale mal dos outros, não seja maledicente. Quem só constrói muros fica sem horizontes. Pessoas pequenas zombam de outras porque acham que isso as fará se sentirem melhor. Evite comentários negativos gratuitos. É impossível semear espinhos e colher flores. Fechar-se em si mesmo não é inteligente, a vida humana anseia por relacionamentos. Lembro-me de um colega da faculdade que morava sozinho me dizer brincando: "O ruim de morar sozinho é que sempre é a minha vez de lavar a louça".

Em segundo lugar, podemos *investir no convívio com outras pessoas*. Relacionamentos são investimentos sociais: eles crescem enquanto você faz pequenos depósitos neles. Reserve um momento para identificar quais são os relacionamentos que fazem você se sentir renovado, aceito e à vontade. Amizades reais são vias de mão dupla. Invista no convívio com quem o ama. A Bíblia oferece muitos exemplos de amizades verdadeiras: Davi e Jonatas (1Sm 18.1); Elias e Eliseu (2Rs 2.2); Priscila, Áquila e Paulo (Rm 16.4); e os primeiros cristãos (At 2.42). Em todos os casos, o convívio entre os amigos foi fundamental.

De fato, não há como aprofundar relacionamentos se não tivermos uma postura aberta e ativa. Há uma série de atitudes práticas que podemos tomar: programar refeições em conjunto; receber ou hospedar amigos; enviar uma carta manuscrita; presentear em datas celebrativas; acompanhá-los em momentos difíceis; realizar viagens juntos; participar de eventos; passear; ligar e reservar um tempo para ouvir. Priorize o tempo face a face, *vis-à-vis*. A tecnologia facilita o envio de uma mensagem de texto e pode ser muito conveniente, mas é incapaz de substituir o afeto corporificado da presença humana.

Faça a diferença na vida de alguém. Há pessoas sentadas reclamando porque não têm estrutura criativa para transformar a indignação em dom para os outros. Leve palavras abençoadoras: "O coração ansioso deprime o homem, mas uma palavra bondosa o anima" (Pv 12.25, NVI). Envie uma mensagem carinhosa, use sua influência para ajudar o aflito, faça parte da história do outro. A melhor maneira de ganhar amigos é agir como um.

Em terceiro lugar, podemos *valorizar nossos amigos*. Não existe amizade verdadeira entre pessoas mesquinhas. Um amigo celebra a conquista do outro. Toda vitória é nossa vitória, toda luta é nossa luta. Como diz o belo verso da canção "Mambeado", do grupo argentino Onda Vaga: "Cante para seus amigos com o coração". Sempre fico comovido quando a escuto. A beleza da amizade é justamente o altruísmo, a benquerença. Um amigo verdadeiro deseja o melhor para o outro. "Alguns que se dizem amigos destroem uns aos outros, mas o verdadeiro amigo é mais próximo que um irmão" (Pv 18.24).

De acordo com a Bíblia, uma das marcas mais importantes de um verdadeiro amigo é a sua lealdade: "O amigo é sempre leal, e um irmão nasce na hora da dificuldade" (Pv 17.17). Vimos no primeiro capítulo que os verdadeiros amigos são aqueles que provaram que se importam com você no curso do tempo. São aquelas pessoas que escutam suas queixas sem fazer julgamentos rápidos e precipitados. Afinal, não devemos buscar apenas os próprios interesses, mas também os interesses dos outros (Fp 2.3-4). É possível valorizar os amigos ao colocar os assuntos deles em pauta, ao perguntar por detalhes de seus planos, ao demonstrar respeito por seus dilemas.

Vivemos em uma sociedade na qual é comum falar mal dos outros, mas a Bíblia nos ensina diferente: devemos dar honra a quem merece honra. Paulo elogiou seus amigos em Corinto apropriadamente (1Co 11.2). Esse princípio de valorizar os amigos é tão poderoso, que somos instruídos a honrar até mesmo os amigos de nossos pais: "Jamais abandone um amigo, nem o seu nem o de seu pai" (Pv 27.10). Um amigo não deixa o outro no chão. O amigo permanece quando todos desaparecem, fica ao nosso lado em tempos de crise, vem a nosso encontro de madrugada, se for necessário. Os amigos do rei Davi estavam dispostos a morrer por ele, pois sabiam que ele também estava disposto a morrer por eles (2Sm 23.15-17). Jesus disse: "Não existe amor maior do que dar a vida por seus amigos" (Jo 15.13).

Em quarto lugar, *não podemos ser melindrosos*. "Como o ferro afia o ferro, assim um amigo afia o outro" (Pv 27.17). Quem tem um bom amigo não precisa de espelho. Charles Spurgeon disse que são melhores os tapas da verdade do que os beijos da traição. Um amigo genuíno está mais preocupado com nosso crescimento do que com nossa vaidade. Ele falará coisas que podem ser desagradáveis no primeiro momento, mas que nos tornarão mais afiados para a vida. Não podemos viver cercados por bajuladores interesseiros. Os falsos elogios e as falsas amizades podem distorcer nossa compreensão da realidade e nos colocar em apuros. De fato, amizades reais precisam de sinceridade e, por isso, não podemos ser hipersensíveis.

O amigo é aquele que conquistou o direito de ser ouvido, que escutou nossa história inteira, entendeu nosso ponto de vista, e agora deve ter liberdade para colocar suas impressões. Portanto, ouça e aprenda. Quando você se cala e dá aos outros uma chance de conversar, surge a oportunidade de aprender. Quando você tem amigos, logo descobre que você não é a exceção, não é a única pessoa que tem problemas. É libertador e restaurador entender que a vida não gira em torno de você. Caso você seja criticado recorrentemente em algum aspecto, vale a pena refletir com seriedade sobre a questão. Há pessoas que, ao receberem críticas recorrentes, apresentam justificativas, criticam as pessoas de volta, ignoram o que foi falado, criando diversos subterfúgios para não refletir adequadamente nas críticas que foram feitas. É verdade que muitas vezes recebemos críticas injustas e que nos deixam machucados. Contudo, é uma atitude sábia refletir com sinceridade sobre as críticas, especialmente quando são recorrentes ou vêm de alguém confiável.

Quando Natã repreendeu Davi, contou uma história sobre um homem injusto. Davi ficou indignado ao ouvir a história,

QUEM TEM UM

BOM AMIGO

NÃO PRECISA DE

ESPELHO.

chegando a dizer que o tal homem merecia morrer. Ocorre que a narrativa de Natã era uma ilustração sobre o que o próprio Davi havia feito: adulterado e orquestrado a morte de um fiel soldado. Natã confrontou Davi: "Você é esse homem!". Davi, então, reconheceu seu erro (2Sm 12.1-15). Mas vale advertir: a possibilidade de ser franco não significa dizer que o amigo é um "apontador de erros". Quem vive só apontando falhas não é um amigo, é uma dor de cabeça. A sanha de ser do contra arruína momentos felizes. Lembre-se que as verdadeiras amizades são saudáveis. Procure estar emocionalmente consciente em seus relacionamentos. Por exemplo, se você se sente ansioso quando está perto de determinada pessoa e percebe que seu humor melhora quando está longe dela, é hora de avaliar o efeito que esse relacionamento está causando em sua saúde emocional.

Acima de tudo, devemos *ser amigos de Deus*. Não podemos descuidar dos fundamentos mais profundos de nossos relacionamentos. Sem dúvida, nossos alicerces relacionais e existenciais estão no próprio Deus. Talvez você esteja procurando entre os galhos aquilo que só aparece nas raízes. Sua alma está de fato enraizada em Deus? O amado teólogo J. I. Packer afirmou: "Deus se relaciona com os cristãos não somente como Pai para filho, mas também como Amigo para amigo".[1] Através de Jesus temos um novo relacionamento com Deus e somos curados, restaurados e capacitados para nos relacionarmos com as pessoas. Você só pode entregar aquilo que tem:

- Somos aceitos por Deus (Tt 3.7), então podemos aceitar as pessoas.
- Somos perdoados por Deus (Rm 8.1), então podemos perdoar.
- Somos valorizados por Deus (1Co 7.23), então podemos valorizar as pessoas.

Em Cristo, portanto, podemos reconstruir nossos relacionamentos com Deus e com o próximo. O próprio Jesus é o exemplo supremo de amigo e nos convida para uma vida de amizade com ele: "Vocês são meus amigos, pois eu lhes disse tudo que o Pai me disse" (Jo 15.15).

conclusão

O que ficou além da cicatriz dos relâmpagos?

ANA MARTINS MARQUES[1]

Este mundo passará, e com ele tudo que as pessoas tanto desejam. Mas a Bíblia ensina que quem faz o que agrada a Deus vive para sempre (1Jo 2.17). Nesta obra examinamos um conjunto de preciosas instruções bíblicas para a restauração emocional, mental e espiritual:

- Desabafe, lamente e chore.
- Cultive a virtude da humildade.
- Crie ciclos de descanso.
- Examine regularmente sua vida.
- Cuide de seu corpo.
- Mantenha a higiene mental.
- Celebre, ore e agradeça.
- Não comente todas as notícias do mundo.
- Nutra a paciência.
- Desenvolva relacionamentos significativos.

Todas essas atitudes agradam a Deus e, com a ajuda dele, florescerão em nossa vida. Está escrito: "Deus está agindo em vocês, dando-lhes o desejo e o poder de realizarem aquilo que é do agrado dele" (Fp 2.13). Quando entregamos de fato nossa vida ao Senhor Jesus, recebemos a força necessária para viver e cumprir a vontade do Pai.

Não duvide do poder de Deus. O que leva você a pensar que seus problemas são tão grandes que nem mesmo Deus pode removê-los? Reflita atentamente no convite de Jesus:

> Venham a mim todos vocês que estão cansados e sobrecarregados, e eu lhes darei descanso. Tomem sobre vocês o meu jugo. Deixem que eu lhes ensine, pois sou manso e humilde de coração, e encontrarão descanso para a alma. Meu jugo é fácil de carregar, e o fardo que lhes dou é leve.
>
> Mateus 11.28-30

Jesus utiliza a imagem de um animal transportador de carga, como um boi ou um cavalo, que tem um jugo e uma carga exageradamente pesados. Esse animal tem três características: ele está (1) cansado, (2) sobrecarregado e (3) desorientado. Se você se sente assim, é importante reconhecer e admitir sua situação. Não adianta negar o óbvio. O que vale dizer "estou bem", se suas pálpebras estão pulsando de nervoso? Jesus conhece você por completo. Ele sabe o quanto você pode estar exausto.

O convite dele é muito direto: "Venham a mim". Jesus não diz: "Vão para o culto", ou "Vão para o pastor", mas "Venham a mim". Ele nos chama diretamente para ele próprio. Jesus mesmo é nossa verdadeira necessidade. Ele não é um beco sem saída, mas o Caminho para uma nova vida. Por isso, é necessário que nos arrependamos de nossos pecados e creiamos no evangelho de Jesus. Na cruz, a luta termina. Na cruz, há paz.

A promessa dele é muito direta: "e encontrarão descanso para a alma". O problema em foco não é simplesmente físico ou psíquico, mas sobretudo espiritual. Em Cristo Deus revela quem ele é e o que pretende do ser humano. Somente em Cristo somos perdoados e podemos receber um jugo suave e uma carga leve. Nele somos redirecionados para uma nova maneira de viver. Em Cristo recebemos uma nova vida como novos interesses, novos padrões, um novo senso de segurança, uma nova força para enfrentar frustrações, uma paz que excede todo entendimento.

Minha oração é que você possa ser uma pessoa restaurada, guiada por Jesus para uma vida bem-aventurada em humildade e mansidão.

agradecimentos

Agradeço à minha esposa, Natalia, pelo carinho e apoio afetuoso em todas as etapas do desenvolvimento deste livro. Obrigado, Natalia, por ser tão bondosa comigo. Sem você eu jamais seria capaz de escrever este livro, nem teria ânimo para seguir em frente nos momentos difíceis. Nossa família é meu tesouro nesta terra. Sua amizade é a melhor parte da minha vida. Agradeço à minha filha, Maria, por ser tão prestativa e amorosa. Eu te amo muito, filha. Continue crescendo cheia de vida e no temor do Senhor.

Agradeço aos meus pais, Elienos e Esmeralda, que desde muito cedo me ensinaram tantos dos ensinamentos que transcrevi neste livro. Agradeço aos meus sogros, Roberto e Dirce, que também se tornaram meus pais. Agradeço ao carinho de toda minha família.

Agradeço aos meus amigos mais chegados que irmãos, Teófilo Hayashi, Gustavo Paiva, Dênio Lara Jr., Gustavo Buffara, Daniela Linhares, Fred Arrais e William Douglas, pela proximidade e companheirismo na produção desta obra. Agradeço aos bispos Robson e Lúcia Rodovalho, Priscila e Lucas Cunha, Lia e

João, Samuel e toda a família Sara Nossa Terra. Vocês também são minha família.

Agradeço especialmente aos amigos da Editora Mundo Cristão, Mark Carpenter, Renato Fleischner, Silvia Justino, Daniel Faria, Ricardo Dinapoli, Selmi Aquino e toda equipe. Vocês são uma bênção na minha vida.

notas

Introdução

[1] Ver Alison J. Gray e Cristopher C. H. Cook, "Christianity and mental health", in: Alexander Moreira-Almeida, et al. (eds.), *Spirituality and Mental Health Across Cultures* (Oxford: Oxford University Press, 2021).

1. Desabafe, lamente e chore

[1] Manoel de Barros, *Livro sobre nada* (Rio de Janeiro: Alfaguara, 2016), p. 33.

[2] Ver J. W. Pennebaker, J. K. Kiecolt-Glaser e R. Glaser, "Disclosure of traumas and immune function: Health implications for psychotherapy", *Journal of Consulting and Clinical Psychology, vol. 56,* nº 2, 1988, p. 239-245.

[3] Ver Serife Tekin, "Ethical issues surrounding artificial intelligence technologies in mental health psychotherapy chatbots", in: Gregory J. Robson e Jonathan Y. Tsou (eds.), *Technology Ethics: A Philosophical Introduction and Readings* (Nova York & Londres: Routledge, 2023), p. 152-159.

[4] Ver June Dickie, "Practising healthy theology in the local church: Lamenting with those in pain and restoring hope", *Stellenbosch Theological Journal*, vol. 7, nº 1, 2021.

[5] Para o contraste entre o ideal da morte nobre e a perspectiva cristã da morte, ver Adela Yarbro Collins, "From Noble Death to Crucified Messiah", *New Testament Studies*, vol. 40, nº 4, outubro de 1994, p. 481-503; para o contraste entre as mortes de Sócrates e Jesus, ver Oscar Cullmann, "Immortality of the soul or resurrection of the dead: The witness of the New Testament", in: Krister Stendhal (ed.), *Immortality and Resurrection: Death in the Western World; Two Conflicting Currents of Thought* (Nova York: Macmillan, 1965), p. 9-53.

[6] Ver Platão, *Fédon (ou Da Alma)*, tradução, apresentação e notas de Edson Bini (São Paulo: Edipro, 2016).

[7] Origen, "Homilies on Luke 38", in: *Selections from Commentaries and Homilies of Origen* (Londres: Society for the Promotion of Christian Knowledge, 1929), p. 165.

[8] Nos arredores de Jerusalém, no Monte das Oliveiras, os franciscanos ergueram em 1955 uma capela em forma de lágrima chamada *Dominus Flevit*, que é a expressão em latim para "o Senhor chorou". Ver Joseph Thadée Milik e Bellarmino Bagatti, *Gli Scavi del "Dominus flevit"* (Jerusalém: Tip. Dei PP. Francescani, 1958).

[9] Em João 11.35 o termo é *edakrysen*; em Lucas 19.41, *eklausen*.

[10] Ver C. V. Bellieni, "Meaning and importance of weeping", *New Ideas in Psychology*, nº 47, 2017, p. 72-76.

[11] Ver Randolph R. Cornelius, "Crying and catharsis", in: A. J. J. M. Vingerhoets e Randolph R. Cornelius (eds.), *Adult Crying: A Biopsychosocial Approach* (Hove, UK: Brunner-Routledge, 2001), p. 199-212.

[12] Ver Robert R. Provine, Kurt A. Krosnowski e Nicole W. Brocato, "Tearing: Breakthrough in human emotional signaling", *Evolutionary Psychology*, vol. 7, nº 1, 2009, p. 52-56.

2. Cultive a virtude da humildade

[1] François de La Rochefoucauld, citado em Jay Newman, "Humility and self-realization", *The Journal of Value Inquiry*, vol. 16, nº 2, 1982, p. 275-285.

[2]Paulo Leminski, *Distraídos venceremos* (São Paulo: Companhia das Letras, 2017), p. 35.

[3]O termo hebraico é *zadon*, também utilizado, por exemplo, em Provérbios 13.10 e 21.24. *Zadon* indica a arrogância manifestada em pessoas sem temperança e abusivas em palavras e ações. A raiz de *zadon* é *ziyd* ("ferver"). Quando o calor é aplicado à água, ela ferve. Foi a partir desse processo que os hebreus comunicaram sua compreensão do orgulho. O termo *ziyd* aparece em Gênesis 25.29 para se referir ao ensopado preparado por Jacó para seu irmão Esaú; ver Stephen B. Dawes, "Walking humbly: Micah 6.8 revisited", *Scottish Journal of Theology*, vol. 41, nº 3, 1988, p. 333; Eugene E. Carpenter, et al., *Holman Treasury of Key Bible Words: 200 Greek and 200 Hebrew Words Defined and Explained* (Nashville, TN: Broadman & Holman Publishers, 2000), p. 140.

[4]Ver B. J. Bushman e R. F. Baumeister, "Threatened egotism, narcissism, self-esteem, and direct and displaced aggression: Does self-love or self-hate lead to violence?", *Journal of Personality and Social Psychology, vol. 75, nº* 1, 1998, p. 219-229.

[5]Santo Agostinho, "Salmo 31.2.18", *Comentário aos Salmos (Enarrationes in psalmos): Salmos 1—50* (São Paulo: Paulus, 1997), p. 225.

[6]Debora W. Ruddy menciona Clemente de Alexandria, Orígenes, Gregório de Nissa, Basílio, Ambrósio e João Crisóstomo como exemplos de autores da Patrística que enfatizaram a humildade como virtude cardeal cristã; ver "The humble God: Healer, mediator, and sacrifice", *Logos: A Journal of Catholic Thought and Culture*, vol. 7, nº 3, 2004, p. 87-108; Pierre Adnès, "Humilité", in: *Dictionnaire de Spiritualité, Ascétique et Mystique*, tomo VII (Paris: Beauchesne, 1969), p. 1136-1187.

[7]Agostinho, "Salmo 31.2.18", p. 225.

[8]Ver Roderich Barth, "The rationality of humility", *European Journal for Philosophy of Religion*, vol. 6, nº 3, 2014, p. 101-116.

[9]O professor Kent Dunnington afirma que, na filosofia contemporânea, há tentativas de emancipação da virtude da humildade de seu berço teológico cristão. Três noções principais de humildade

são discutidas no âmbito teórico: (i) a primeira noção entende *humildade como autoestima adequada*, isto é, a pessoa humilde é aquela que tem uma estimativa precisa de seu valor, de suas habilidades, realizações, status e direitos, e é particularmente resistente a superestimar esses aspectos; (ii) a segunda noção entende *humildade como uma despreocupação adequada*, isto é, a pessoa humilde é aquela que se preocupa muito pouco com seu próprio valor, suas habilidades, realizações, status ou direitos, pois está mais preocupada com outras coisas; (iii) a terceira noção entende *humildade como compreensão adequada de possuir limitações*, isto é, a pessoa humilde é dona de suas limitações: ela leva a sério, fica perturbada por tê-las, faz todo possível para se livrar delas, mas as aceita e faz o possível para controlar e minimizar seus efeitos negativos; ver *Humility, Pride, and Christian Virtue Theory* (Oxford, UK: Oxford University Press, 2019).

[10] Ver June Price Tangney, "Humility: Theoretical Perspectives, empirical findings and directions for future research", *Journal of Social and Clinical Psycology*, vol. 19, nº 1, 2000, p. 70-82.

[11] François de La Rochefoucauld, citado em Jay Newman, "Humility and self-realization", *The Journal of Value Inquiry*, vol. 16, nº 2, 1982, p. 275-285.

3. Crie ciclos de descanso

[1] Billy Graham, "10 Quotes from Billy Graham on Rest", Billy Graham Library, 8 de novembro de 2019, <https://billygrahamlibrary.org/blog-10-quotes-from-billy-graham-on-rest/>.

[2] Ministério da Saúde, "Você já teve insônia? Saiba que 72% dos brasileiros sofrem com alterações no sono", 17 de março de 2023, <https://www.gov.br/saude/pt-br/assuntos/noticias/2023/marco/voce-ja-teve-insonia-saiba-que-72-dos-brasileiros-sofrem-com-alteracoes-no-sono>.

[3] Ministério da Saúde, "Síndrome de Burnout", Saúde de A a Z, <https://www.gov.br/saude/pt-br/assuntos/saude-de-a-a-z/s/sindrome-de-burnout>.

[4]A síndrome de burnout foi catalogada pela Organização Mundial da Saúde como "burnout ocupacional" no Catálogo Internacional de Doenças (CID-11), que entrou em vigor em 2022; ver World Health Organization, "Burn-out an 'occupational phenomenon': International Classification of Diseases", 28 de maio de 2019, <https://www.who.int/news/item/28-05-2019-burn-out-an-occupational-phenomenon-international-classification-of-diseases>.

[5]Gunnar Aronsson, et al., "A systematic review including meta-analysis of work environment and burnout symptoms", *BMC Public Health*, vol. 17, 2017, p. 264.

[6]Billy Graham, *Wisdom for Each Day* (Nashville, TN: Thomas Nelson, 2008), p. 315.

[7]Luisa J. Gallagher, "A theology of rest: Sabbath principles for ministry", *Christian Education Journal*, vol. 16 (nº 1), abril de 2019, p. 134-149.

[8]Matthew Walker, *Why We Sleep: The New Science of Sleep and Dreams* (Londres: Penguin, 2018).

[9]Andrew Bishop, *Theosomnia: A Christian Theology of Sleep* (Londres: Jessica Kingsley Publishers, 2018), p. 64.

4. Examine regularmente sua vida

[1]Søren Kierkegaard, *For Self-Examination and Judge for Yourselves!* (Princeton: Princeton University Press, 1944), p. 50.

[2]Para um excelente estudo científico introdutório sobre autoengano e otimismo enviesado, ver Anneli Jefferson, Lisa Bortolotti e Bojana Kuzmanovic, "What is unrealistic optimism?", *Consciousness and Cognition*, vol. 50, 2017, p. 3-11.

[3]Para uma compilação de pensamentos do pregador escocês Robert M. M'Cheyne (1813-1843), ver Andrew A. Bonar, *Memoir and Remains of R.M. M'Cheyne* (Edimburgo: Banner of Truth, 1966).

[4]Shoshana Zuboff, *A era do capitalismo de vigilância: A luta por um futuro humano na nova fronteira do poder* (Rio de Janeiro: Intrínseca, 2020), p. 301.

[5]Deborah Lupton, *The Quantified Self: A Sociology of Self-Trecking* (Cambridge: Polity, 2016).

[6]Yasmin Anwar, "Emoji fans take heart: Scientists pinpoint 27 states of emotion", *Berkeley News*, 6 de setembro de 2017, <https://news.berkeley.edu/2017/09/06/27-emotions/>.

[7]Fernando Pessoa, *Aforismos e afins* (São Paulo: Companhia das Letras, 2006), p. 11.

5. Cuide de seu corpo

[1]Clarice Lispector, *Água viva: Edição comemorativa* (Rio de Janeiro: Rocco, 2019), p. 44.

[2]Ver Norman Wirzba, *Food and Faith: A Theology of Eating* (Cambridge: Cambridge University Press, 2011), p. 2.

[3]Para uma abordagem teológica cristã da alimentação ver Angel F. Méndez Montoya, *Theology of Food: Eating and the Eucharist* (Oxford: Wiley-Blackwell, 2009), p. IX.

[4]Em 1Coríntios 10.23-33 o apóstolo Paulo ensina sobre a atitude cristã diante de alimentos consagrados a ídolos, destacando que a marca da maturidade é a capacidade de balancear liberdade com responsabilidade. Todas as coisas são lícitas, mas devemos nos perguntar: promoverão a liberdade ou a escravidão? (1Co 6.12); serão um tropeço ou um apoio? (1Co 8.13); edificarão ou destruirão a minha vida? (1Co 10.23); serão apenas para meu próprio prazer ou glorificarão a Deus? (1Co 10.31); contribuirão para o testemunho do evangelho ou para afastar pessoas de Cristo? (1Co 10.33).

[5]Conheça o trabalho de Becky Lehman em seu website: <https://soveryblessed.com/>. O livro está disponível apenas em formato digital: *Less of Me: A 30-Day Devotional for Your Weight Loss Journey* (Kindle Edition, 2017).

[6]Angel F. Méndez Montoya, *The Theology of Food: Eating and the Eucharist* (Hoboken, NJ: Wiley-Blackwell, 2009), p. 46.

[7]World Health Organization, "Obesity and overweight", 9 de junho de 2021, <https://www.who.int/news-room/fact-sheets/detail/obesity-and-overweight>.

[8]Sanford Health, "Sitting is the new smoking: 'Truly a silent killer'", 9 de fevereiro de 2023, <https://news.sanfordhealth.org/heart/sitting-is-the-new-smoking-truly-a-silent-killer/>.

[9]A abordagem erudita de Victor Pfitzner se tornou uma obra-referência sobre as metáforas esportivas nos escritos paulinos. Pfitzner destacou como Paulo utilizou o tópico do atletismo de um modo inovador, afastando-se do pensamento estoico de seu tempo. Ver Victor J. Pfitzner, *Paul and the Agon Motif* (Leiden: Brill, 1967).

[10]Ver *agōni* em 1Tessalonicenses 2.2; *stephanos* e *emprosthen* em 1Tessalonicenses 2.19 e Filipenses 4.1; *sunagōnisasthai* em Romanos 15.30; *sunēthlesan* em Filipenses 4.3; *katabrabeuetō* em Colossenses 2.18; *brabeuetō* em Colossenses 3.15; e *theatron* em 1Coríntios 4.9.

6. Mantenha a higiene mental

[1]Ver Eugene S. Paykel, "Basic concepts of depression", *Dialogues in Clinical Neuroscience*, vol. 10, nº 3, 2008, p. 279-289.

[2]John Stott, *Issues Facing Christians Today*, 4ª ed. (Grand Rapids, MI: Zondervan, 2006), p. 60.

[3]Saundra Dalton-Smith, *Sacred Rest* (Nova York: Faith Words, 2017), p. 54.

[4]Svetlava Boym, *The Future of Nostalgia* (Nova York: Basic Books, 2001), p. xvi.

7. Celebre, ore e agradeça

[1]Luiz Miguel Duarte, *Cultive o bom humor: 18 indicações práticas* (São Paulo: Paulus, 2001), p. 10.

[2]Elben M. Lenz César, *Práticas devocionais* (Viçosa, MG: Ultimato), p. 145.

[3]Beatrice Marovich, "The Powerful Authority of Cute Animals", *Atlantic*, 14 de maio de 2024, <https://www.theatlantic.com/technology/archive/2014/05/the-beckoning-cat/362108/>.

[4]Amos Oz, *How to Cure a Fanatic* (Londres: Vintage, 2012), p. 74.

[5]Derek Kidner, *Salmos 73—150: Introdução e comentário*, Série Cultura Bíblica (São Paulo: Vida Nova, 2011), p. 496.

[6]Wesley L. Duewel, *Touch the World Through Prayer* (Grand Rapids, MI: Zondervan, 1986), p. 246-249.

8. Não comente todas as notícias do mundo

[1]Jean-Paul Jacob, citado em Sandra Carvalho (ed.), *1001 frases: As tiradas mais divertidas, invocadas, inteligentes e provocantes do mundo da tecnologia e da vida moderna* (São Paulo: Abril, 2003), p. 66.

[2]Ver Norberto Bobbio, *O futuro da democracia: Uma defesa das regras do jogo* (São Paulo: Paz & Terra, 2009), p. 48.

[3]Ralf Dahrendorf, *Il cittadino totale* (Torino: Centro di ricerca e di documentazione Luigi Einaudi, 1977), p. 35-59.

[4]Ver E. Boers, et al., "Association of screen time and depression in adolescence", *JAMA Pediatrics*, vol. 173, nº 9, julho de 2019, p. 853-859.

[5]"Liberdade da lei certamente não significa que os princípios de retidão revelados na Lei do Antigo Testamento foram invalidados. Não significa que os Dez Mandamentos não têm mais aplicação as nossas vidas, no presente. Não significa que podemos subjugar os santos padrões de Deus a nossa preferência pessoal. E obviamente não significa que estamos livres de quaisquer requisitos morais. O que a liberdade cristã significa? Significa que os cristãos não estão presos as observâncias dos rituais do Antigo Testamento. Não temos de sacrificar animais, observar leis de limpeza cerimonial e celebrar todas as luas novas, festas e sacrifícios. Não seguimos as leis dietéticas dadas a Israel através de Moisés. Estamos livres de tudo isso. [...] nossas vidas espirituais são governadas não apenas por um código de leis, mas pela graça de Deus, que opera em nós a fim de cumprirmos as justas exigências da lei (Rm 8.4). A graça nos ensina a renunciar a impiedade e os desejos mundanos e a vivermos sensata, justa e piedosamente (Tt 2.12)." John MacArthur, *Com vergonha do*

evangelho: Quando a igreja se torna como o mundo (São José dos Campos, SP: Fiel, 2009), p. 104.

[6] Umberto Galimberti, *L'ospite inquietante: Il nichilismo e i giovani* (Milão: Feltrinelli Editore, 2016).

[7] Ver Romain Blondeau, *Netflix, l'aliénation en série* (Paris: Édition du Seuil, 2022).

9. Nutra a paciência

[1] Tertullien, *De la patience* (Paris: Les Éditions du Cerf, 1984), p. 73.

[2] Franz Kafka, *28 desaforismos = 28 aphorismen* (Florianópolis: Editora UFSC, 2011), p. 15.

[3] Henry G. Bohn, *A Hand-book of Proverbs* (Londres: G. Bell & Sons, 1875), p. 314.

[4] Aristóteles, *Retórica*, trad. Marcelo Silvano Madeira (São Paulo: Ridel, 2007), p. 82.

[5] Harold Schweizer, *On Waiting* (Londres: Routledge, 2008), p. 8.

[6] Ver Carl Horoné, *In Praise of Slow: How a Worldwide Movement is Challenging the Cult of Speed* (Londres: Orion, 2010).

[7] Victor Hugo, citado em Henry Hampton Halley, *Pocket Bible Handbook* (Chicago: Henry H. Halley, 1946), p. 232.

10. Desenvolva relacionamentos significativos

[1] J. I. Packer, *Teologia concisa: Síntese dos fundamentos históricos da fé cristã* (Campinas, SP: LPC, 1998), p. 176.

Conclusão

[1] Ana Martins Marques, *Risque esta palavra* (São Paulo: Companhia das Letras, 2021), p. 28.

sobre o autor

Davi Lago é pastor batista desde 2006, servindo atualmente como capelão na Primeira Igreja Batista de São Paulo. É professor na Faculdade Teológica Batista de São Paulo e na Fundação Armando Alvares Penteado (FAAP), e coordenador de pesquisa no Laboratório de Política, Comportamento e Mídia (LABÔ-PUC/SP). É doutorando em Filosofia e Teoria do Direito (USP), mestre em Teoria do Direito e graduado em Direito (PUC-MG). É ainda apresentador do programa Futuro Imediato pela Univesp/TV Cultura, embaixador da Visão Mundial e da Missão em Apoio à Igreja Sofredora, e membro do conselho gestor da Aliança Evangélica Cristã Brasileira. Autor best-seller, publicou pela Mundo Cristão *Brasil polifônico, Ame o seu próximo* e *Formigas,* em parceria com William Douglas. É casado com Natália e pai da Maria.

Do mesmo autor:

Com a perspicácia que lhes é habitual, William Douglas e Davi Lago resgatam um trecho do livro bíblico de Provérbios para nos transmitir lições preciosas para os dias de hoje.

O personagem citado na Bíblia que tem muito a nos ensinar é a formiga, que integra uma das sociedades mais incríveis do planeta:

"Formigas não têm medo de trabalhar; possuem iniciativa, sabem as razões de seu esforço, são organizadas e capazes de armazenar riqueza. Além disso, combatem a cultura do desperdício, cientes de que cada migalha é importante; também não ficam pelo caminho, antes concluem suas atividades. A despeito de tudo isso, sabem usufruir do descanso e dos resultados de seu trabalho."

Se você sente a necessidade de buscar uma vida melhor e com significado, considere avaliar as dez valiosas lições que precisamos aprender com as formigas, explicadas por uma dupla bem-sucedida em sua área de atuação e que descobriu como fazer a vida valer a pena.

Do mesmo autor:

Ao alcançar quase um terço da população brasileira, os evangélicos têm hoje grande peso no cenário nacional. No Brasil polifônico, não é possível que a voz dos evangélicos deixe de ser considerada nas principais discussões da nação. Da mesma forma, esse grupo precisa saber ouvir vozes dissonantes, mas igualmente relevantes no contexto de uma sociedade plural.

Em *Brasil polifônico: Os evangélicos e as estruturas de poder*, Davi Lago resgata os marcos civilizatórios da sociedade moderna e os princípios da teologia política, aplicando-os à complexa realidade brasileira. O autor apresenta as influências que a tradição judaico-cristã e a reforma protestante oferecem ao arcabouço jurídico e político ocidental, razão pela qual ele estimula o heterogêneo segmento evangélico e os setores não evangélicos da sociedade a contribuírem para um ambiente de respeito e tolerância.

Apostando no caminho do diálogo e da mútua consideração, e sem deixar de lado a necessária autocrítica, o autor organiza os fundamentos conceituais e históricos que norteiam e inspiram a busca de uma convivência democrática, para o bem da nação.

Do mesmo autor:

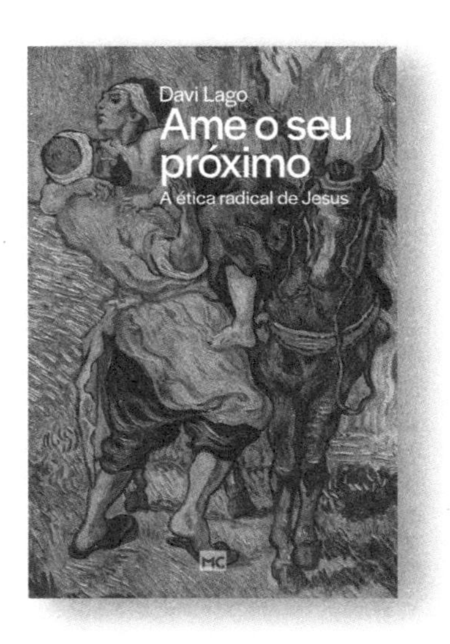

"Cada um ame o seu próximo como a si mesmo." Não é sem razão que o versículo de Levítico 19.18 é o texto do Antigo Testamento mais citado no Novo. Em dois mil anos de história, o amor tem levado cristãos a superar barreiras em prol do bem comum.

Com alguma frequência a igreja é duramente criticada pelos seus e pela sociedade. Justas ou injustas, as menções pouco honrosas ao cristianismo não conseguem obscurecer a história de cristãos que, movidos pelo amor ao próximo, reverberam o exemplo do bom samaritano.

Em *Ame o seu próximo*, vencedor do Prêmio Areté 2022 na categoria Reflexão, Davi Lago relata a iniciativa de cristãos que, inspirados por esse mandamento divino, cumpriram papel civilizatório para a humanidade, como a criação do método Braile e de organizações como Greenpeace, Anistia Internacional, Alcoólicos Anônimos e Cruz Vermelha.

Em um momento histórico marcado pela intolerância e pelo desamor, o autor resgata a fundamentação bíblica que nos impulsiona em prol do outro: a ética radical de Jesus.

Compartilhe suas impressões de leitura,
mencionando o título da obra, pelo e-mail
opiniao-do-leitor@mundocristao.com.br
ou por nossas redes sociais

Esta obra foi composta com tipografia Palatino e Sweet Sans
e impressa em papel Snowbrite 70 g/m² na gráfica Santa Marta